KB141282

너무
성실해서 아픈
당신을 위한
처방전

Patient 지나치게 성실한 당신

Age

Date

Address

Rx

너무 성실해서 아픈 당신을 위한 처방전

Symptom 피로, 불안, 풀리지 않는 스트레스, 비인간화, 무능력한 기분…

Signature 함께읽는책

굿바이 번아웃

파스칼 샤보 지음 허보미 옮김

세상을 관조할 줄 아는 분들께

"아는 도구가 망치뿐이라면
모든 문제가 다 못으로 보이기 마련이다."

_ 파울 바츨라비크*, 《변화Change》

* Paul Watzlawick: 인간의 의사소통에 관해 연구한 미국의 심리학자. -역주

차례

"저는 제가 맡은 임무를 완수했어요.
최약체를 골라 공포 경영을 실시했지요.
그래요. 자살한 노동자가 발생한 건 사실입니다.
하지만 저라고 도리가 있겠어요?
오늘날은 최고만이 승리하는 세상.
생존의 법칙만이 지배하는 세상인걸요."

"여성으로 산다는 것은
굉장히 불편한 일이다. 왜냐하면 그것이
남성을 상대해야 하는 일이기 때문이다."

제3부
포스트모던 시대의 불안

"어디라도! 어디라도!
이 세상 밖이라면 어디라도!"

"얼음 아래에, 차갑게. 모든 것이 얼음 아래에 있다.
아무것도 움직이지 않는다. 모든 게 정지했다.
저체온증에 걸린 듯이 꽁꽁, 꽝꽝 얼어붙었다."

"카우다 파보니스"

서문

무슨 일인가가 벌어지고 있다

무슨 일인가가 벌어지고 있다.

언젠가 고속도로 갓길에 차를 세워 놓고 울고 있는 한 여자를 보았다. 무언가 좀 이상했다. 그녀는 마치 미친 사람처럼, 눈물을 주체할 수 없는 듯 보였다. 그 무엇도 그녀의 울음을 멈출 수는 없을 것 같았다. 몸속을 온통 깨끗이 비워 내기라도 할 듯, 꾸역꾸역 더 이상 억누르기 힘든 감정을 모조리 뱉어 내고 있는 것만 같았다. 그녀는 두 손을 부들부들 떨며 운전석에서 몸을 들썩였다. 눈빛에는 당혹감과 두려움이 뒤범벅돼 있었다.

본래 눈물은 감정을 깨끗이 씻어 준다고들 말한다. 그러나 그녀의 눈물은 아무것도 씻어 주지 않았다. 오히려 파괴했다. 비탄의 파도가 평소 너무나도 안정적이던 한 여자를 마구 할퀴고 지나갔다. 그녀는 자신 속에 완전히 침수되어 버린 것만 같았다. 육신,

자동차, 인생, 그 모든 게 별안간 너무도 무상하고 견디기 힘든 것처럼 보였다.

만일 사랑하는 사람을 저 세상으로 떠나보낸 것이라면, 혹은 실연을 당했다거나 전쟁이 발발한 것이라면, 그녀의 갑작스런 발작을 충분히 이해할 수 있었을 것이다. 그러나 그녀가 주체할 수 없이 폭발한 데는 딱히 무엇이라 설명할 수 있는 명확한 동기가 없었다.

무슨 일인가는 또 벌어지고 있다. 가령 완전히 넋이 나가 버린 한 40대 남자가 그러했다. 그 남자는 한 시간째 컴퓨터 앞에 덩그러니 앉아 미동도 할 수 없었다. 입은 헤벌린 채 멍한 눈으로 망연자실 컴퓨터 앞에 우두커니 앉아 있었다. 그날 아침 그는 회계 차트에 기록된 숫자들을 확인하는 것으로 산뜻한 하루를 시작했다. 그러나 다음 순간, 난데없이 캄캄한 암흑이 찾아들었다. 그는 깊은 허무에 빠져들었다. 실성한 사람처럼 완전히 얼이 나가 버렸다.

그는 어떻게든 자리에서 몸을 일으키려 했다. 그러나 몸은 말을 듣지 않았다. 골반에서 어깻죽지까지 척추 전체가 알 수 없는 이유로 빳빳하게 굳어서는 꼼짝도 하지 않았다. 급기야 그는 깜짝 놀란 동료들이 동그랗게 눈을 뜨고 지켜보는 가운데 앰뷸런스를 타고 응급실로 급히 실려 가는 신세가 됐다. 그는 3개월 동안 내리 침대에만 붙박여 어슴푸레한 불빛 아래서 수면 치료를 받아야

했다. 예전에는 10분에 한 번꼴로 전자메일을 열어 보던 그였지만 이제는 회사 이름만 들어도 부들부들 온몸을 떨었다.

분명 우리 곁에서는 이상한 일들이 심심치 않게 벌어지고 있다. 이 책의 목적은 그런 기이한 일들을 철학적으로 해명해 보고자 하는 것이다. 철학적 사유를 통한다면 이러한 현상을 좀 더 제대로 이해할 수 있을 것이고, 이 과도함이 넘치는 시대에 그러한 현상이 진정으로 의미하는 바가 무엇인지를 온전히 깨달을 수 있을 것이다.

사실 번아웃 증후군은 오로지 개인의 문제로만 치부될 수 없다. 그것은 오히려 기술의 진보와 새로운 실험이 한창인 이 시대를 가로지르는 각종 욕망들과 관련한 문제로 간주된다. 현 시대의 조류 속에서는 아주 걱정스럽고도 흥미로운 기이한 열광의 징후가 읽힌다. 인간은 스스로 만든 도구로 인해 어떤 변화를 겪고 있다. 현 시스템이 인간의 정신과 미래에 심대한 영향을 미치고 있는 것이다.

시대에 의해 야기되는 불안은 '번아웃'이란 말을 통해 새로운 얼굴을 얻었다. 흔히 철학은 놀라움에서 시작된다고들 말한다. 그런데 여기 번아웃 임상 사례에서도 매우 놀랄 만한 사실이 하나 발견된다. 번아웃 환자들 전부가, 거의 즐겁다고까지 할 수 있을 만큼 너무나도 예사로운 삶을 사는 데 반해, 그런 현실과는 너무도 대조적으로 극히 심각한 신체 기능의 이상 현상[1]을 겪고 있다는 점이다. 운전대를 붙들고 대성통곡하는 여자나, 컴퓨터 앞에서 별안간 몸이 마비되어 버린 기업의 임원처럼, 번아웃 환자들은 대개 21세기의 가치관을 충실히 따르며 살아가는 사람들이다. 그들은 교양과 학식을 두루 갖춘 열정적인 노동자로서 현대적 삶의 양식을 열렬히 수호하며 살아왔다. 현 시스템이 유지될 수 있었던 것도 어찌 보면 주당 40시간 이상의 노동도 마다하지 않는 그들의 열정적인 헌신 덕분이었다. 그런데 그런 그들이 돌연 무너진 것이다.

번아웃은 '문명의 질병'이다. 오늘날 인간은 지구를 마구 파헤쳐 고갈시키고 있다. 생태계는 어느새 자원으로 변질돼 버렸다. 우리는 더 이상 자연을 상대로 관조자가 아닌 착취자로서만 행동하려 한다. 자연으로부터 이득이 될 만한 것을 마구 채취하며 지구상 곳곳에 인간의 발자국[2]을 가차 없이 찍어 대고 있다.

오늘날 '고갈(소진)'은 새로운 영역으로 지경을 넓혀 가고 있다. 이제는 과거 개발의 폐해로부터 자유로웠던 서구인에게까지 마수를 뻗치고 있다. 개발을 감독하던 자들도 여지없이 개발의 희생자로 전락한 것이다. 이제는 그들 역시도 착취 정신이 낳은 폐해를 고스란히 감내하는 처지가 됐다. 물론 어떤 이들은 이런 변화를

1 대상 기능 부전decompensation이라고도 부르며, 심장에 오랫동안 무리를 가하거나 심장 순환 계통에 병이 있어 심장의 기능이 상실될 때 발생한다. -역주
2 생태발자국을 의미. -역주

충분히 예상했노라고 말하기도 한다. 기술자본주의가 전 지구적인 현상이 되면 기술자본주의의 영향도 보편적일 수밖에 없을 테니까. 그럼에도 어떤 이들은 이런 변화를 전혀 예상하지 못했다는 듯 깜짝 놀라기도 한다.

왜냐하면 그들은 더 나은 세계가 도래할 것을 믿어 의심치 않았기 때문이다. 1960년대 공론가들이 쓴 글을 다시 읽어 보라. 기술 발전이 가져올 미래상을 그들이 얼마나 낙관적으로 그리고 있는지 보면 아마도 깜짝 놀랄 것이다. 가령 그들은 기계가 인간을 노동에서 해방시켜 줄 것이라 굳게 믿었다. 인간이 하기 힘든 일을 기계가 대신해 줄 것이라고. 그러면 인간은 천상의 디저트와도 같은 여유를 자유롭게 만끽할 줄로만 알았다. 그런 것이 이른바 '여가 문명'이란 것이었다. 여가 문명은 현대판 지상낙원에 해당했다. 이 새로운 지상낙원은 인간에게 정원(동산)이 아닌, 해변과 자동차를 약속했다.

협정은 공평해 보였다. 더 많은 기술을 수용하기로 약정을 맺었으니, 과거의 습관을 버리고 새로운 현실에 적응해야만 했다. 그 대신 노동의 부담은 줄고, 더 효율적으로 보호를 받게 되었으며, 게다가 무엇보다 욕망을 따르며 살아갈 자유를 누릴 수 있게 되었다. 충분히 맺을 만한 가치가 있는 협정이었다. 일절 후회 따위는 없어야 했다. 그러나 오늘날 우리는 '여가 문명'이라는 것이 실은 '트로이의 목마'에 불과했음을 여실히 깨닫게 되었다. 목마의 묵직한 허리춤 안에는 새로운 예속 관계의 요구들이 은밀히 감춰져 있었다. 가령 자동화 기계들은 설명서에 적힌 것만큼 그다지 자율적이지 않았다. 기계들은 항시 인간을 필요로 했다. 사람을 대신해 계산을 수행한다고 알려진 컴퓨터만 하더라도 하루 10시간씩 꼬박 인간이 모니터 앞에 붙박여 있기를 요구한다. 한편 통신기기도 인간을 온종일 붙들고 놓아주지 않는다. 시간은 점점 더 빠른 속도로 흘러간다. 복잡해진 시스템은 인간의 혼을 쏙 빼놓는다. 심지어 여가란 것도 이제는 돈을 주어야만 얻을 수 있는 일종의 유료 오락이 되어 버렸다. 물론 여전히 해변이 존재하기는 하지만, 그것 역시도 고화질 TV 속 그림 같은 장면으로만 존재할 뿐이다.

사실 직무 소진도 이와 같은 맥락에서 접근해야 한다. 우리는 종종 일부 사원이나 임원들이 고삐 풀린 현 시스템에 의해 완전히 파김치가 된 채로 핼쑥한 얼굴을 내밀고 사무실 문을 나서는 모습을 심심치 않게 마주하곤 한다. 그럴 때마다 그들도 역시 어떤 배신감에 휩싸여 있으리라는 생각을 떨칠 수가 없다. 희망이 컸던 만큼 아마 실망도 더욱 쓰라릴 것이다. 그들도 역시 오늘날 우리 모두가 겪는 것과 똑같은 현실을 감내하고 있다. 고강도 생산 체제, 가속화된 노동 시간, 격심한 스트레스, 보편화된 통제 수단, 혹독한 억압 등을 말이다. 그런 것이 이른바 여가 문명을 누리기 위해서는 어쩔 수 없이 치러야 할 값비싼 대가니까. 그러나 우리는 정작 그 여가 문명이란 것을 주로 TV 광고로만 체험하며 살아갈 뿐이다.

물론 이런 기술적인 변화상은 저절로 이뤄지지 않는다. 그 곁에서는 수익 극대화라는 경제 논리가 든든하게 지원 사격을 해 주고 있다. 특히 이 위기의 시대에 수익 지상주의는 한층 더 활개를 치고 있으며, 세계화된 경쟁 체제는 비용 절감과 노동자 감축을 강요하고 있다. 이에 더해 엄청난 경영 기법이 개발되었으니, 이 새로운 경영술은 노동자를 예속하고, 통제하고, 압박하고, 밀고자를 양산하며, 연대 의식을 파괴한다. 이제 인간은 일종의 자원이 되었다. 인간 역시 최대한의 에너지와 땀, 시간을 쥐어짜야만 한다. 그러나 인간은 언제나 남아도는 여분의 존재, 언제든 대체 가능한 존재에 불과하다. 그러니 그 강렬한 감정이 다시 수면 위로 빠끔히 고개를 내미는 것이다. 모든 휴머니즘이 철저히 지양하려 했지만, 일부 권력이 득달같이 수단으로 삼고 싶어 하던 바로 그 감정. 그것은 바로 공포다. 반짝이는 유리창들이 외벽을 뒤덮은 철제 건물 안이나 자동화 생산 라인 속에서 오늘날 또 다시 겁에 질린 얼굴들을 마주한다는 건 참으로 기이한 일이다. 그것은 퇴보의 상징이다.

번아웃이란 무엇인가? 그것은 혹 고삐 풀린 현 시스템이 불러온 어떤 결과를 의미하는 것은 아닐까? 피로, 불안, 풀리지 않는 스트레스, 비인간화, 무능력한 기분 등은 번아웃의 대표적인 증상들이다. 그런데 이런 증상은 주로 자신에게 필요한 것은 얻지 못한 채 언제나 주기만 하며 살아가는 유형의 사람들에게서 흔히 나타난다. 그들은 대개 다른 도리가 없어 자신을 잊은 채 살아갈 뿐이다. 우리는 차차 번아웃 증후군이 얼마나 경계도 흐릿하고 개인마다 천차만별의 양상을 띠는 부연 성운 같은 모호한 현상인지를 깨닫게 될 것이다. 더욱이 번아웃은 원인 또한 매우 다양한데 그 원인을 크게 몇 가지 유형으로 분류해 보면, 가령 완벽주의 달성의 숨가쁨, 휴머니즘(인간성)의 고갈, 인정의 추구 따위가 바로 그것이다. 물론 여기에 여성들만이 겪는 특수한 문제도 도외시할 수는 없을 것이다.

사실 새로운 정신장애가 중요한 주제로 부각되어 이처럼 급속도로 대중을 파고든다는 건 상당히 보기 드문 현상이다. 1970년대 미국의 정신의학자 허버트 프로이덴버거Herbert Freudenberger는 중독환자들을 치료하기 위해 운영하던 한 뉴욕의 진료소에서 일하면서 본인 스스로 심신 탈진 현상을 경험하게 된다. 그리고 이에 대한 연구를 진행하는 과정에서 번아웃이란 말을 처음으로 사용하였고 이후 이 용어는 다양한 맥락에서 널리 사용되었다. 번아웃 증후군은 다양한 종류의 물음을 제기한다. 번아웃은 우울증과 어떤 연관이 있는 걸까? 어떤 유형의 사람들이 쉽게 빠져드는가? 번아웃을 진단하고 치료할 방법은 무엇인가? 이런 질문들에 대한 해답을 찾는 과정에서 우리는 의사, 정신의학자, 심리학자 등이 보여 준 인간애에 깜짝 놀라지 않을 수 없다. 더욱이 그들은 직접 곁에서 환자들을 진료하며 축적한 경험을 바탕으로 그 무엇과도 비교할 수 없는 훌륭한 연구 자료를 제공해 주고 있다. 그들의 심도 깊은 분석에 힘입어 우리는 번아웃이라는 장애의 실체를 좀 더 바르게 이해할 수 있었고, 다양한 치료법을 발견할 수 있었다.

이 책의 목적은 이들의 분석을 바탕으로 삼되 연구의 범위를 다른 영역으로까지 좀 더 확장하여, 정신병리학적 문제를 거기서 제기되는 철학적 의문들과 연관 지어 보는 것이다. 우리는 앞으로 '번아웃burn-out'이란 용어에 함의된 '불'의 의미에 대해 함께 고찰해 볼 것이다. 번아웃이라는 표현에는 형이상학적으로 인간을 태우는 불이라는 의미가 내포되어 있다. 다음으로 중세 시대 수도승의 신앙을 뒤흔들어 놓은 '아케디아'[3]가 번아웃의 조상 격에 해당한다는 사실도 밝혀낼 것이다. 마지막으로 영국의 작가 그레이엄 그린Graham Greene에게 번아웃의 진정한 친부 자리를 되돌려 줄 것이다. 왜냐하면 1955년 벨기에령 콩고에 위치한 한 나병 요양소를 방문한 경험을 바탕으로 사상 최초로 번아웃이란 개념을 사용한 이가 바로 그였기 때문이다. 우리는 이런 과정을 토대로 의도적으로 번아웃 문제를 새로운 관점에서 다각도로 조명해 봄으로써 새로운 성찰의 장을 열고, 여기서 다루는 문제들이 결국에는 어떤 보

---

3 acédia: 영적 나태. -역주

편성을 지닌다는 사실을 입증해 보일 것이다.

중요한 것은 노동을 비난하지 않는 것이다. 번아웃이란 빈둥거리고 싶은 욕망 때문에 발병하는 것이 아니다. 오히려 번아웃 환자들은 본래 너무도 성실하고, 열정적이고, 주어진 과제에 충실한 사람들이었다. 어떤 면에서는 오히려 그런 성향이 문제가 되어 번아웃이 발병했다고도 볼 수 있다. 그렇기 때문에 번아웃의 문제를 노동과 나태의 대비로 이해하는 건 크나큰 실수를 범하는 것이다. 노동은 인간의 해방을 가능케 하는 매우 중요한 가치 중 하나다. 그러니 노동의 구조는 당연히 정치적인 성격을 띨 수밖에 없는 것이다. 크리스토프 드주르Christophe Dejours[4]의 말을 빌리자면, 노동에 의해 일종의 제도로 정립된 '협력'이란 행위는 인간에게 더불어 살아가는 법을 가르쳐 주는 일종의 학교와도 같다. 그렇기에 오늘날 우리는 노동의 심각한 침해를 인간의 기본권을 유린하는 행위로까지 이해하는 것이 아니겠는가.

머리말을 끝내기에 앞서 번아웃의 가장 중요한 특징이라고도 할 수 있는 한 가지 특성을 언급하지 않을 수 없다. 그것은 바로 변화를 이끄는 잠재적 가능성이다. 인간의 몸은 아주 똑똑하다. 어떨 때는 억압된 정신보다 더 우리의 욕망을 잘 알아챈다. 그러니 우리의 몸이 조금만 쉬게 해 달라며 은총을 구한다면, 육신의

---

4 프랑스의 노동 전문 정신의학자. -역주

목소리에 귀 기울이고, 조금은 더 수월하게 걸을 수 있는 편안한 길을 찾아내기 위해 노력해야만 할 것이다. 그러면 오랫동안 굳게 입을 다물었던 의미에 관한 문제가 다시 수면 위로 떠오를 것이다. 그것은 얼마나 집요하고 맹렬한 문제인지 도무지 어떤 방법으로도 조용히 잠재울 수가 없었다. 가령 의미를 묻는 이런 종류의 다양한 질문들이 떠오를 수 있을 것이다. 진정으로 중요한 문제는 무엇인가? 우리는 어디에다 구심점을 두고 살아가야만 하는 것일까? 우리 삶은 어떤 가치를 지니는가? 이런 번아웃의 '흑화 과정'[5]은 종종 매우 견디기 힘든 과정이 될 수도 있을 것이다. 그러나 만일 이 과정을 통해 위와 같은 의문들만 제기할 수 있다면, 아니, 그런 질문들을 중요한 문제로 인식하는 용기만 가질 수 있게 되어도, 그것만으로도 이미 번아웃이라는 힘겨운 시련은 아주 헛된 과정으로만 끝나지는 않을 것이다.

포스트모던 문명이 낳은 이 질병 앞에 이제는 하루 빨리 인간의 한계를 인식하는 일이 시급해졌다. 인간을 더욱 착취하기 위한 목적으로 한계를 넘어서면서까지 인간을 괴롭히거나 혹은 인간의 한계를 놓고 사기극을 벌이는 모든 시스템은 그 어떤 것도 결단코

---

5 연금술의 제1단계다. 연금술은 모두 흑화, 백화, 접근, 그리고 적화라는 네 단계를 거친다. 다섯 단계 작업일 경우에는 여기에 생화, 혹은 공작 꼬리라고 불리는 단계가 추가된다. 흑화란 제1의 원물질을 정화하기 위하여 연금술사의 응집된 생명력을 불의 정령에 융합시킴으로써 원물질의 구성 요소가 부패되고 검어지면서 죽게 되는 단계로 흔히 '죽음'을 상징한다. -역주

용납할 수 없다. 어느 시대나 인류는 새로운 투쟁을 벌여 왔다. 오늘날 인류에게 부과된 새로운 투쟁의 과제는 자명해 보인다. 이제는 경제 · 기술 중심의 논리를 본래의 부차적 자리로 되돌려 놓아야만 한다. 그리하여 그것들이 좀 더 홍미롭고, 형이상학적이고, 온정적인 목적을 실현하는 데 활용될 수 있도록 해야만 할 것이다.

제1부 피로의 저편

프로이덴버거와 무료 진료소

허버트 J. 프로이덴버거는 1926년 독일에서 태어나 15살이 되던 해 미국으로 망명했다. 1970년대에는 뉴욕의 한 무료 진료소에서 활동하며 약물 중독의 진단과 예방 교육을 실시했다. 그리고 시간이 지나자 그는 무료 진료소에서 유일한 약자는 환자만이 아니라는 사실을 알게 된다. 의료진 역시 환자와 똑같은 심리적 · 정신적 탈진 징후를 보였던 것이다. 정신의학자이자 정신분석학자인 프로이덴버거는 아침 8시부터 저녁 6시까지 꼬박 종합병원에서 진료를 보았고, 퇴근 후에도 밤 11시까지 무료 진료소에서 일을 했다. 또 무료 진료소의 일이 끝나면 직원들과 회의를 이어갔고, 새벽 2시가 넘어서야 귀가했다. 수개월 동안 고강도의 업무는 계속되었고, 사람들은 그를 볼 때마다 너무 과로하는 것 아니냐고 물어보았다. 그럴 때마다 그는 이렇게 대답하곤 했다. "아니요,

더 열심히 일해야 해요. 지금도 따뜻한 보살핌을 받지 못하고 거리를 헤매는 아이들이 수백 명에 달하거든요." 또 얼굴이 점점 야위어 간다며 걱정해 주는 이들에게도 이렇게 딱 잘라 말했다. "프랭크 시나트라도 그랬는걸요."[1]

프로이덴버거는 짐짓 냉소적으로 변해 갔다. 환자들에게 전처럼 일일이 깊은 관심을 기울이기가 힘들어졌다. 함께 일하던 자원봉사자들도 점차 정신적으로 지쳐 갔다. 급기야 그토록 애착을 가지고 일하던 자원봉사 활동을 그만두는 사람들이 하나둘씩 생겨났다. 그러던 어느 날, 가족들과 함께 휴가를 떠나기로 철석같이 약속했던 프로이덴버거는 휴가 전날까지도 새벽 2시가 넘어서야 집에 돌아왔고, 다음 날 도저히 침대에서 몸을 일으킬 수 없었다. 결국 그대로 비행기를 떠나보내고 만 그는 사흘 내리 미친 듯이 잠만 잤다. 잠에서 깬 뒤 주섬주섬 녹음기를 찾아낸 그는 자신의 목소리를 녹음해 보았다. 테이프에 녹음된 목소리를 듣는 순간 그는 자신의 인성에 어떤 변화가 일어났음을 감지했다. 그는 깜짝 놀라지 않을 수 없었다. 자신의 목소리에서 탈진, 불안, 우울,

---

1 H. J. 프로이덴버거와 G. 리차드슨G. Richardson, 《번아웃. 높은 성취를 위해 치러야 하는 값비싼 대가*Burn-Out. The High Cost of High Achievement*》, 런던, 애로우출판Arrow Edition, 1985년, 9쪽(초판, 뉴욕, 더블데이Doubleday). 이 책에 실린 인용문은 영문판을 참조한 것이다. 가에탕 모랭Gaétan Morin이 《직무 탈진: '내면에 입은 화상*L'Epuisement professionnel*': 'la brûlure interne'》(몬트리올, 1998년)이라는 제목으로 펴낸 프랑스어 판본은 주변에서 쉽게 구할 수 없다.

교만 등의 감정이 배어 나오고 있었다. 가족에 대해 이야기하는 대목에서는 죄책감마저 느껴졌다. 자가 정신분석 과정은 그에게 일종의 카타르시스를 제공했다. 한동안 잠을 자고, 다시 자가 정신분석을 하는 과정을 수차례 교차 반복한 덕분에 그는 조금씩 정신적인 안정을 되찾아 갔다. 그리고 그제야 비로소 자신에게 일어난 일들을 제대로 이해할 수 있게 되었다. 그는 자신이 겪었던 이 불안 증세에 이름을 붙여 주었다.

본래 '번아웃'은 중독환자의 상태를 설명하는 영어 표현으로, 흔히 강성 마약에 지나치게 의존적인 환자를 묘사할 때 쓰이는 용어였다. 그러나 프로이덴버거는 약물 중독환자에게 향했던 관심을 차츰 다른 곳으로 돌리게 되었고, 의료진의 상태 역시 마약 중독자와 별반 차이가 없다는 사실을 발견하게 되었다. 그는 마약 중독자에게 쓰는 용어를 의료진의 증상을 설명하는 데도 똑같이 사용했다. 의료진에게서 발견되는 증상은 중독환자의 증상과 놀랍도록 흡사했고, 프로이덴버거와 동료들은 중독환자에게 쓰는 이 용어를 의료진의 상태를 명명하는 용어로 전용하더라도 문제될 것이 없다고 판단했다. 이는 사실 의학사를 통틀어 매우 드문 일이었다. 번아웃이라는 용어는 순식간에 채택되었다. 그는 맨 먼저 동료 의료진들을 상대로 '번아웃'이란 용어를 사용해 보았다. 이 용어를 처음 듣는 사람들은 모두가 하나같이 똑같은 반응을 보였다. "맞아요. 제 기분이 딱 그렇다니까요. 완전히 연소된 기분Burned out이라고요."[2]

중독환자의 경우처럼, 의료진들도 어떤 '중독' 성향으로 인해 삶이 피폐해져 있었다. 그들은 저마다 지나친 노동, 지나친 이상주의, 지나친 '자기 헌신'에 매몰되어 있었다. 중독환자의 경우처럼 의료진의 번아웃도 '과도함'의 질병이었다. 한편 영미권에서는 두 세계 사이의 유사성을 또 다른 조어를 사용해 표현하기도 했다. 그것이 바로 워커홀릭workaholic[3]이다. 두 경우 모두 어떤 균형이 깨어진 상태를 의미하는데 문자 그대로 정신과 육체의 시스템에 불이 붙으면서, 말하자면 인간의 활동이 강압적이고 중독적인 성향을 띠게 된 것이다. 사실 'to burn'이란 표현에는 '불태우다'라는 일차적 의미가 있지 않은가. 프로이덴버거는 '불'이라는 은유는 더없이 적절하게 이 병을 설명해 준다고 보았다.

나는 정신분석가이자 임상의로 일하면서 이따금 사람도 화마의 희생자가 된다는 사실을 깨달았다. 화재가 일어나 불이 붙은

---

2 번아웃이라는 표현의 다른 용례를 살펴보는 것도 의미가 깊다. 가령 경주용 자동차의 바퀴는 온도를 높일수록 성능이 더 좋아진다. 따라서 어떤 경주자는 출발선에 핸드브레이크를 걸어 놓은 정지 상태로 바퀴를 최대한 회전시킨다. 제어가 힘든 상태에 이른 '번아웃' 중인 자동차는 정지 상태이긴 해도 뿌연 연기를 내뿜으며 최대 출력으로 작동하고 있다. 이런 이미지를 심리적 차원과 겹쳐 생각해 보면, 미쳐 날뛰고 있지만 앞으로는 단 한 발짝도 전진하지 못하는 인간의 모습을 떠올리게 한다.

3 일중독자를 일컫는다.-역주

건물처럼 말이다. 이 복잡다단한 세계에서 살아가는 동안 사람들은 엄청나게 심각한 심적 압박감에 시달린다. 그래서 때로는 내면의 자원이 화염에 휩쓸려 모조리 소진되기도 한다. 그러면 그들의 내면에는 오로지 커다란 구멍만 덩그러니 남는다. 설사 겉모습은 예전 그대로일지라도.[4]

피로는 인간 활동에 본질적인 요소다. 인간은 조금이라도 노력을 하는 순간, 어떻게든 힘을 주고, 에너지를 연소시키고, 호르몬을 분비하고, 혈액 순환을 증강시키고, 폐의 호흡 기능을 향상시킨다. 당연히 한계점을 넘어서는 고된 노력을 하는 경우라면, 최악의 경우 심신 탈진으로까지 귀결될 수 있는 주관적인 신체 현상이 나타나기 마련이다.[5] 번아웃의 피로는 일반적인 신체 현상을 동반한다. 그러나 그것은 여느 피로와는 성격이 다르다. 누군가 육체노동을 할 때 느끼는 그런 종류의 피로가 결코 아니다. 또한 참호전을 치르는 병사, 암페타민 약발이 떨어진 독일 병사[6], 혹은 이라크 참전 미군 등이 보이는 어떤 공포에 질려 몽롱하게 얼이 빠진 탈진 상태를 의미하지도 않는다. 물론 오랜 수면 부족으로 집

---

4 H. J. 프로이덴버거, 《번아웃. 높은 성취를 위해 치러야 하는 값비싼 대가》, 위의 책, 15쪽.

5 J. 셰레르J. Scherrer, 《피로*La fatigue*》, 파리, PUF, 1998년, 101쪽.

6 독일군은 전투력 향상을 위해 병사들에게 암페타민을 복용하게 했다. -역주

중력이 현저히 떨어지고 눈이 시큰거리는 야근 노동자의 피로 증상과도 차원이 다르다. 그것은 실력이 출중한 운동선수가 고강도 훈련을 한 뒤에 느끼는 피로와도 공통점이 전혀 없다. 닥치는 대로 책을 읽어 나가는 다독가나 혹은 머릿속으로 추론 과정을 전개해 나가는 과학자가 느끼는 그런 지적인 차원의 피로도 아니다. 물론 그렇다고 그것이 아무것도 할 수 없다는 무력감에서 비롯되는 어떤 무기력한 상태인 것도 아니다.

의욕과 긴장감이 넘쳐흐르는 와중에 찾아드는 피로, 무아지경에 이를 정도로 목표 달성을 위해 열성적으로 일하고 싶다는, 자신의 한계를 뛰어넘고 싶다는 열망으로 인해 잉태된 무기력. 이런 종류의 증상들은 오랫동안 효율성을 저하하는 걸림돌로 간주되며 백안시되어 왔다. 이런 종류의 피로 증상은 다른 명령, 다른 요구에 떠밀려 조용히 잊혀졌다. 그러나 그것은 언제나 완전히 사라지지 않은 채 은밀하고도 집요한 피로가 되어 지속됐다. 우리는 만성적인 심신 약화 상태를 감지하지만 억지로 그런 기분을 잠재운다. 마치 잠시 멈추어 서서 숨을 좀 돌리는 것만으로 완전히 인생이 파멸하기라도 할 것처럼 말이다. 그들은 죄의식을 주는 이 피로 상태를 약물의 힘을 빌려 애써 감추려 한다. 온당치 못한 불안한 감정을 끝끝내 부인하려 한다. 이 정도 단계에 이르면 그들은 더 이상 내면의 갈등을 견뎌 내지 못한다. 혹은 어처구니없게도 갈등을 해결하기는커녕 오히려 더욱 부채질하고 만다. 그러면 그들은 점점 더 폐쇄적으로 돌변한다. 그들은 혼자 힘으로도 충분히 내면의 갈등을 해결할 수 있을 것이라고 장담한다. 조금만 쉬게 해 달라고 은총을 구하는 자신과, 더 노력하라고, 더 힘을 내라고 채근하는 강인하고 헌신적인 또 다른 자기 자신과의 싸움을 혼자서도 충분히 잘 조율할 수 있다고 확신한다. 바로 그 순간 그들의 자아는 분열된다. 자아의 분열은 다양한 모습으로 표출된다. 때로는 빈정거림이나 조롱, 냉소, 혹은 '막가파식' 태도 등으로 나타나기도 하고, 또 때로는 음식 중독, 알코올 중독, 섹스 중독 등의 형태로 나타나기도 한다. 그러나 어떤 경우에든 그들은 모두 내면의 싸움으로 분열된 자아가 이내 파괴되고 변질되고 있다는 느낌에 휩싸인다. 그리고 그들의 행동거지는 점차 변해 간다. 주변인들도 그들에게 걱정 어린 눈길을 보내기 시작한다. 그러나 돈을 벌기 위해서든, 사회적인 대의를 실천하기 위해서든, 혹은 인정받고 싶다는 단순한 욕구 때문이든 간에, 목적을 이루기 위해 무슨 수를 써서라도 혼신의 노력을 기울여야만 한다는 욕망과 그리고 이제는 제발 좀 쉬고 싶다는 절절한 욕망 사이에는 점점 더 크나큰 간극이 벌어진다. 그러다 이내 그의 존재 자체가 아예 그 간극이 되고 만다. 그런 식으로 자아가 분열되면 끝내 '인격이 파괴'[7]된

---

7 울리히 크라프트Ulrich Kraft, '번아웃Burned Out', 〈사이언티픽 아메리칸 마인드 *Scientific American Mind*〉, 2006년 6/7월호, 28~33쪽.

다. 자기 자신과도, 자신의 욕망과도 소통의 끈이 끊어진다. 자아가 분열된 자는 현재를 앞으로 실행해야 할 수많은 기계적인 일들의 연속으로 나눈다. 그리고 그러한 현재 속에 기꺼이 갇혀 산다. 결국 오래도록 억압된 피로는 어느 날 난데없이 폭군으로 돌변한다. 이제는 아무리 억지로 억누르려고 해 봐야 헛수고다. 피로감이 점차 온몸을 타고 번져 나간다. 그러다 이내 존재 전체를 정신적, 정서적, 이성적으로 완전히 잠식한다. '불'이라는 은유가 의미를 획득하는 것은 바로 이 지점이다. 그들은 내면에 텅 빈 구멍이 불씨처럼 빠르고, 불꽃처럼 기묘하게 온몸으로 퍼져 나가는 것을 느낀다. 그러다 이내 그들 존재 자체가 불에 탄 대지, 텅 빈 구멍으로 변해 버린다.

오늘날 전 세계적으로 널리 사용되는 직무 스트레스 검사 도구, 즉 '매슬랙 소진 척도MBI. Maslach Burnout Inventory'를 고안해 낸 캘리포니아 버클리대학 심리학 교수 크리스티나 매슬랙은 번아웃이 지닌 세 가지 속성을 다음과 같이 밝혀냈다. 물론 이 세 가지 특성이 언제나 똑같은 비율로 나타나는 것은 아니라는 사실을 지적할 필요가 있겠다. 번아웃의 첫 번째 속성은 바로 '정서적 소진'이다. 정서적 소진은 특히 인간이 스트레스를 받을 때 가장 먼저 나타나는 반응인 만큼 번아웃 환자들에게서 제일 쉽게 관찰해 볼 수 있는 현상이다. 가령 그들은 "마음이 공허하고 완전히 지쳐 버린 상태여서 도무지 심신의 긴장을 풀고, 피로를 회복하기가 힘든"[8] 기분에 휩싸인다. 다음은 '비인격화'다. 비인격화는 대개 만사에 냉소적 평가를 내리는 것으로 그 증상이 시작된다. 프로이덴버거도 앞서 비인격화 현상의 심각성에 대해 설명한 바 있다. 가령 동료들과 거리를 두고 냉담하게 대한다든가, 혹은 예전처럼 열정적으로 일에 헌신하지 않는 모습이 나타난다. 이런 냉소적 태도는 일종의 자기 보호로 이해해 볼 수도 있다. 그들이 보이는 부정적 태도는 말하자면 그들이 자신의 노동을 지나치게 고귀한 것으로 여기던 과거의 환상에서 완전히 깨어났다는 고백인 셈이다. 마지막으로 매슬랙은 번아웃의 세 번째 속성에도 주목했다. 그것은 바로 '개인의 성취감 저하'다. 가령 그들은 새로운 일을 맡을 때마다 도저히 잘 해낼 수 없을 것 같다며 자신감 없는 위축된 모습을 보인다.

매슬랙 연구는 그것이 번아웃의 사회적 차원들에도 주목했다는 데 그 의의가 있다. 다른 많은 심리학자들처럼 매슬랙도 개인적인 원인만 살펴보는 것으로는 절대 이 장애를 제대로 파악할 수 없다고 판단했다. 그녀는 이 같은 신념을 아래의 글로 좀 더 명확하게 피력했다.

오늘날 세계 곳곳에서 번아웃이 진정한 전염병처럼 번져 가고

---

8 크리스티나 매슬랙Christina. Maslach, M. 라이터M. Leiter, 《번아웃*Burn-out*》, 파리, 레자렌느Les Arènes, 2011년, 42쪽.

> 있다. 문제는 개인이 아니다. 노동 세계의 현실이나 노동의 성격이 급변한 것이 문제다. 기업, 병원, 학교, 공공 부문 등을 막론하고 오늘날 직업 세계는 경제적으로나 심리적으로 냉정하고, 호전적이며, 까다로운 환경으로 변했다. 개인은 정서적, 심리적, 정신적 탈진에 시달린다. 노동과 가족 등의 영역에서 일상적으로 인간에게 요구되는 의무는 개인의 에너지와 열정을 잠식하고 있다. 성공에 따른 기쁨, 목적 달성에 따른 만족감을 얻기란 '하늘의 별 따기'보다 더 어렵다. 열정을 다해 헌신적으로 일하는 사람도 드물다. 사람들은 냉소적으로 변했다. 그들은 일과 거리를 두고 지나친 자기 헌신을 거부한다.[9]

이제 번아웃이 사회적 차원의 문제라는 사실을 의심하는 사람은 아무도 없다. 문제는 개인에게만 있는 것이 아니다. 열악하고 강도 높은 고된 노동 환경, 미흡한 규제, 불공정한 대우, 불충분한 보수, 개인 간의 갈등 등 다양한 문제가 매번 다른 비율이기는 해도 복합적으로 작용한 결과다. 프로이덴버거도 비슷한 주장을 했다. 그는 번아웃을 이른바 '훌륭한 미국인' 병으로 간주했다. 적어도 여기서 훌륭한 미국인이라는 것이 소위 주류 가치와 조화를 이루며 살아가려는 미국인을 의미한다면 말이다. 물론 이때의 주

---

9 같은 책, 19쪽.

류 가치란 노동과 돈, 창의적 발명과 발견, 산업화, 자기 극복의 미덕을 중시하고, 더 나아가 세계 다른 나라들에 자유민주주의 가치와 무역 자유화를 강요하려는 태도 등을 말할 것이다. 말하자면 번아웃은 현 시스템에 충실한 자들이 걸리는 질병, '신실한 신도'들이 앓는 질환이다. 번아웃은 '믿음의 위기', 다시 말해 희망을 품었던 자들의 환멸, 어떻게든 열심히 사회를 건설하는 데 이바지하고 그런 사회의 보호 속에 행복한 삶을 영위하기 위해 고군분투하던 자들이 빠지게 된 어떤 정서적 소진 상태를 의미한다. 그런 점에서 볼 때 번아웃은 심리학과 사회학, 그 어느 하나의 영역으로만 국한해서 연구할 수 있는 문제는 아니다. 두 학문의 보완을 통해 종합적으로 이해해야 할 현상이다. 왜냐하면 번아웃은 과거 인간과 노동이 맺고 있던 풍요로운 관계를 앗아 가고, 그 자리에 대신 의미 상실이라는 커다란 공백만을 남겨 놓았기 때문이다. 단순히 노동할 능력만 상실되어 버린 것이 아니다. 고된 노력에 대한 성취감만 사라져 버린 것이 아니다. 더 나아가 일에 대한 의미마저도 파괴되고, 사라졌다. 사실상 의미의 상실은 매우 중차대한 문제이므로 앞으로 좀 더 면밀히 고찰해 볼 필요가 있다. 왜냐하면 의미 상실이란 단순히 개인의 고통으로만 끝나는 문제가 아니기 때문이다.

번아웃은 소진을 의미한다. 그러나 번아웃에는 그것 말고도 또 다른 많은 문제들이 복잡하게 얽혀 있다. 그것이 무엇인지 밝혀내기 위해서는 무엇보다 번아웃이란 개념이 유래한 배경부터 살펴보는 것이 바람직할 것이다.

현대판 아케디아

번아웃 증후군에게는 현대에 이르러 잊힌 조상이 하나 있다. 아마도 그 조상의 특성을 살펴보면 이 복잡한 개념을 파악하는 데 여러모로 유익할 것이다. 다음은 번아웃의 조상 격에 해당하는 그것을 글로 풀이한 구절이다. "육체적 피로, 졸음, 허기, 더 빈번하고 강렬해진 악마의 유혹, 감각적 위안의 오랜 부재, 악행과의 싸움에서 명백하게 혹은 실질적으로 패배했을 경우 혹은 어느 정도 받아 마땅한 징벌을 받았을 경우 생겨나는 어떤 분한 감정, 그저 단순히 규칙적 활동에서 비롯되는 단조로움, 인간의 본질적인 변화에 대한 욕구. 이런 것들은 어떤 심리적 위기를 일으키는 주요 원인이 될 수도 있다……." 몇 가지 세부적 사항만 제외한다면, 누가 봐도 번아웃에 관한 설명서나 자기계발서의 한 대목이라고 생각할 만하다. 현대어에 걸맞지 않은 낯선 표현이라고 해 봐야 '악마의 유혹', '징벌' 정도다. 가령 '징벌'이란 단어는 현대에는 배금주의 사회의 신조어, 기업 컨설턴트들이 흔히 사용하는 기괴한 용어들로 대체될 수 있을 것이다. 요컨대 이런 식으로 말이다. "이 평가 대상에게는 6점 중 1점을 줘야겠군."[10] "그자를 페이스북 친구 목록에서 삭제해야겠어." 물론 '악행'이라는 단어 역시 너무도 편향적이고 낡은 표현임에 분명하다. 오늘날 그런 식으로 말하는 이는 거의 본 적이 없다. 이 몇 가지 세부적인 표현만 제외한다면 위의 인용문은 가히 현대에 쓴 글로 보아도 전혀 손색이 없다.

그러나 위 인용문은 1932년 편찬된 《가톨릭신학사전》, '나태' 편에서 발췌한 아케디아[11]에 대한 설명이다. 이 구절을 읽는 동안 우리는 마치 현대 번아웃의 옛 모습을 고스란히 지켜보고 있는 듯한 착각에 빠진다. 말하자면 기독교 세계의 아케디아는 기업 세계의 번아웃이라고도 볼 수 있다. 아케디아는 개인이 앓는 현상임에도 시스템에 대한 믿음까지 파괴하는 무시무시한 정서 상태를 의

---

10 이 신조어에 대해 좀 더 자세히 알고 싶다면 알렉상드르 데 이스나르Alexandre dees Isnards, 토마 쥐베르Thomas Zuber가 쓴 지극히 훌륭하고도 비극적인 책 《개방형 공간이 나를 죽였다*L'open space m'a tuer*》(파리, 르리브르드포슈Le Livre de Poche, 2008년, 13쪽)의 용어 정리 편을 참조하길 바란다. 이 책은 젊은 임원들이 자신들만 알고 침묵하는 것들, 다시 말해 다른 사람들은 모르는 모든 것들에 대해 이야기해 준다. 가령 새로운 형태의 폭력, 유쾌한 기분과 화기애애한 분위기를 강요하는 현실, 유연성이 가져다주는 가짜 자유, 출퇴근 기록부라는 형벌, 평가와 자기평가라는 광기, 인정의 결핍 등에 대해 털어놓는다.

11 acedia: 초기 수도승 전통 안에서 수도승들, 특히 독수도승이나 은수자들이 빠질 수 있는 영적 태만, 영적 무기력을 의미했다. -역주

미했다. 그래서 교회는 이를 매우 심각한 현상으로 받아들였다. 왜냐하면 아케디아는 우리가 흔히 생각하는 보통의 나태와는 차원이 다르기 때문이다. 아케디아는 이른바 '피그리티아pigritia'와도 성격이 달랐다. 일반적인 나태함을 의미하는 '피그리티아'는 흔히 힘든 일을 회피하는 행위를 뜻하며, 기독교에서 하나의 죄악으로 간주됐다. 편안함과 휴식을 지나치게 좋아하면 자신의 의무를 소홀히 하게 되고 신과도 멀어진다고 여겼기 때문이다. 말하자면 피그리티아는 창세기에 나오는 "네가 얼굴에 땀이 흘러야 식물을 먹고 필경은 흙으로 돌아갈 것이리니"[12]라는 그 끔찍한 질서에 반기를 드는 행위였다. 또한 "그리스도가 고통을 받는 동안에는 잠도 잘 수 없다"[13]고 했던 파스칼의 근심 어린 탄식 앞에서 그저 어깨를 살짝 추어올리고 마는 무심한 행위와도 같은 것이었다. 마지막으로 그것은 감각의 덫이기도 했다. 왜냐하면 나태하고 싫증이 난 이들은 혼자서, 혹은 다른 빈둥거리는 게으른 자들과 함께, 금세 잠에 곯아떨어지고 말 것이기 때문이다. 당대 개론서는 이러한 악습을 치료하기 위해 그들에게 힘겨운 노동을 시키거나, 혹은 가시덤불로 가득한 들판이나 무너진 담벼락을 보여 주라고 권했다.[14] 물론 기록이 남아 있지 않아서 이런 치료법이 정말 효과가

12 창세기 3장 19절. -역주
13 파스칼의 《팡세》, '예수의 비의' 중에서. -역주
14 《카톨릭신학사전*Dictionnaire de la théologie catholique*》, '나태' 편, 반스텐베르게Vansteen-

있었는지는 전혀 알 길이 없다. 그러나 어쨌든 교회는 그런 종류의 나태함을 치료하는 일을 그렇게까지 중대한 과제로 보지는 않았던 것 같다.

반면 아케디아는 매우 두려운 문제로 인식했다. 왜냐하면 그것은 신에 대한 영적 나태함을 의미했기 때문이다. 아케디아는 수도승 가운데서도 특히 주어진 과제를 규칙적으로 충실히 수행하며 하루도 빠짐없이 열성적으로 기도를 올리던, 너무도 완벽하게 신앙을 실천하던 자에게 어느 날 느닷없이 찾아들었다. 평상시라면 하루 더 단식을 하거나, 더 이른 새벽에 일어나 예배 드리기를 마다하지 않던 수도승이 하루아침에 무너져 내린 것이다. 마치 현대 번아웃이 직장 생활이나 회사와의 관계에 변화를 가져오듯, 아케디아는 신앙생활이나 신과의 관계를 파괴하는 수도자의 번아웃이었다. 11세기 카르투시오 수도회의 귀고 1세[15]는 아케디아에 대해 이렇게 설명했다.

독방에 혼자 있을 때 너는 돌연 무기력증, 정신적 나태, 마음의 권태로움에 사로잡힐 것이다. 깊은 환멸이 너의 내면을 짓누를 것이다. 그러면 네 자신이 무척이나 무거운 짐처럼 느껴지리라. 평소

---

berghe, 루투제 출판Letouzey Ed, 1932년, t. XI, vol. 2.

15 카르투시오회의 수도승. 12세기에 대 카르투시오 수도원의 8대 수석 사제를 지냈다.-역주.

> 기쁨으로 내면을 채워 주던 신의 은총이 더 이상 감미롭게 느껴지지 않는다. 어제와 그 전날, 너의 내면에 임했던 달콤함은 쓰디쓴 맛으로 변해 버린다.[16]

사막의 사제들, 즉 요한 카시아누스, 요한 클리마코, 세비야의 이시도루스, 성 토마스 등에 이르기까지 실로 많은 이들이 아케디아에 대해 연구했다. 아케디아가 독수도승이나 은수자들에게 자주 찾아드는 병이었기 때문이다. 특히 신실한 신자나 모범적인 수도승일수록 아케디아에 쉽게 사로잡혔다. 단 한 번도 회의에 빠져 본 적이 없는 수도승, 그저 묵묵히 성자의 길을 밟아 오던 수도승이 어느 날 별안간 신에게 지쳐 버린 신의 탈진자로 돌변했다. 아케디아란 그런 것이었다. 영적인 차원의 무기력이었다. 가령 그것은 더 이상 찾지 않게 된 '하느님 아버지'이자, 까맣게 잊어버린 '아베 마리아'였다. 혹은 기도를 드리려 무릎을 꿇었다가 이내 일어나기가 귀찮아 주저앉는 것, 새벽 미사 중에 견딜 수 없이 수마睡魔가 밀려드는 것, 바로 그런 것들을 의미했다. 장루이 크레티앵[17]이 피로에 대해 저술한 한 명저에서도 소개한 적이 있는 성 요한 카시아누스[18]는 자신의 대표작 《회수도승 생활 제도집》에서 아케디

---

16 같은 책, 2026쪽.

17 Jean-Loui Chrétien: 프랑스의 철학자이자 시인-역주.

18 Saint Johannes Cassianus: 동방 교회의 수도 영성을 서방 교회에 최초로 소

아에 많은 장을 할애했다. 그는 여기서 아케디아를 'taedium sive anxietas cordis', 즉 '마음의 권태 또는 혐오'라고 정의했다. 책에서 그는 수도승의 상태를 이렇게 기술한다. "마치 먼 길을 걸어오거나 혹은 심한 노역에 지쳐 버리기라도 한 듯, 혹은 2~3일간 아무것도 먹지 못한 듯, 별안간 깊은 피로와 허기에 휩싸인다. (중략) 정신이 이유 없이 혼란스럽고 우울해지면서 갑자기 몸이 축 쳐지고, 모든 영적 활동을 수행하는 것이 불가능해진다. 이런 무기력한 상태에서 벗어날 유일한 치료법은 다른 형제 수사를 만나거나 혹은 잠을 푹 자고 나는 것뿐이리라."[19]

아케디아는 칠죄종[20] 중의 하나다. 요한 클리마쿠스[21]도 아케디아를 매우 심각한 악습의 일종으로 보았다. 왜냐하면 아케디아는 어떤 특별한 미덕 하나만이 아닌 모든 미덕의 근원을 공격하였기 때문이다. 신을 지겨워한다는 것은, 그리하여 신성한 선행을 혐오한다는 것은, 모든 구원을 포기하는 행위와 다르지 않았다. 신학자가 보기에 이보다 더 해로운 악습은 찾아볼 수 없었다. 그것은 노동을 열렬히 숭배하는 사회에서 노동을 지겨워하는 것과도

개한 인물-역주.

19 성 요한 카시아누스, 《회수도승 생활 제도집*De institutis Coenobiorum*》, X, 2, 3. 장 루이 크레티앵의 《피로에 대하여*De la fatigue*》(파리, 미뉘Minuit, 1996년, 94쪽)에 언급.

20 가톨릭에서 인간이 지은 일곱 가지 본죄, 즉 교오驕傲, 간린慳吝, 미색迷色, 분노憤怒, 질투嫉妬, 탐욕貪慾, 해태懈怠 등을 이른다.-역주

21 Joanne Climacus: 7세기 정교회의 탁월한 영성가로 《거룩한 등정의 사다리》라는 명작을 남겼다.-역주

흡사했다. 그렇기에 오늘날 경영자가 번아웃이라는 재앙을 극복할 방안을 열심히 강구하듯, 신학자들도 죄악으로 여겨지는 이 장애를 치료할 치료법을 열심히 찾아다녔다. 신학자들이 가장 먼저 제안한 해법은 죽음과 미래의 행복에 대해 밝은 비전을 제시하며, 희망과 용기를 북돋워 주는 것이었다. 그러면서도 그들은 인내심을 가지라는 충고를 잊지 않았다. "생활양식을 바꾸거나, 수도원을 옮기거나, 목표를 수정하지 않고 계속 버텨라. (중략) 독송, 시편 영창, 육체노동, 기도 등의 모든 선행을 꾸준히 지속하라."[22]

그럼에도 노동은 경시되었다. 베르나르 포르톰[23]은 이 문제에 대해 저술한 한 방대한 저서에서 '과도한 노동으로 인식되는 아케디아'에 대해 설명했다. 그는 옛 선조들이 이른바 "일의 악령"이라고 부른 현상의 예들을 분석해 가며, 교부들이 아케디아를 '무위도식'이 아닌 '과도함'의 질병으로 보았다는 사실을 입증해 보였다. 가령 너무 지나친 기도로 인해 오히려 신앙보다 기도가 더 중요해지는 식이었다. '악령'은 언제나 더 일하고 싶은 욕망을 불러일으켰다. 악령은 수도승이 두세 채로도 충분한 독채를 네댓 채나 짓고 싶게끔 부추겼다. "이제 피로에 지친 수도승은 제발이지 일을 멈추고 휴식을 취하고 싶다는 간절한 마음에 사로잡힌다. 그러나

---

22 《카톨릭신학사전》, 위의 책, t. XI, vol. 2, 2030쪽.
23 Bernard Forthomme: 프랑스 신학자. -역주

악령은 그를 계속해서 자극하고 부추긴다. 그러니 그는 조금도 쉴 틈이 없다. 망치를 손에 쥐어야만 하는 것이다. 절대 지쳐서는 안 되는 것이다."[24]

아케디아는 이처럼 과도한 노동으로부터 탄생했다. 이것은 아케디아가 프로이덴버거가 말한 번아웃과 어떤 연관성이 있음을 보여 준다.

그럼에도 아케디아와 번아웃 사이에는 아주 흥미로운 차이점이 하나 있다. 아케디아는 번아웃과 달리 '냉각'의 의미로 이해된다는 점이다. 잘 들여다보면 영적 나태를 의미하는 'acidia'는 '시다'라는 뜻을 가진 라틴어 'acidus'와 형태가 비슷하다. 왜냐하면 당시 사람들은 신 것은 차가운 성질을 띤다고 생각했기 때문이다. 말하자면 인간의 영혼 속에서 불이나 열의 성격을 띠는 열정이 신학에서 '냉담'이라고 불리는 상태로 뒤바뀐 것이다. 냉담은 "자비의 열정적이고 불꽃이 튀기는 성격을 완전히 중화"시켜 버린다.[25] 그런 점에서 번아웃과 아케디아는 정반대되는 성격을 지닌다고 볼 수 있다. 가톨릭 신학은 열성과 열정의 가치를 중시하면

---

24 베르나르 포르톰, 《수도승의 아케디아에서 불안성 우울증까지. 악습에서 질병으로의 변형에 관한 철학사*De l'acédie monastique à l'anxio-dépression. Histoire philosophique de la transformation d'un vice en pathologie*》, 파리, 레장페쇠르드팡세엉롱Les Empêcheurs de penser en rond, 2000년, 31쪽.

25 《카톨릭신학사전》, 위의 책, t. XV, vol. 1, '냉담'편, 1026쪽. 그 밖에도 위의 책 포르톰의 《수도승의 아케디아에서 불안성 우울증까지. 악습에서 질병으로의 변형에 관한 철학사》도 참조할 것, '냉담이라는 신앙심의 상실', 418쪽.

서도, 이성의 차가움은 무신론에 이르는 길이라 간주하며 두려워한다. 반면 냉철한 논리를 바탕으로 하는 현 기술중심주의적 시스템은 냉철함보다는 오히려 뜨겁게 불타오르는 기이한 열정을 더 두려워한다. 그 속에는 현 시스템에 대한 반발의 의미가 감춰져 있다고 느끼기 때문이다.

번아웃은 현대판 아케디아에 해당한다. 번아웃은 아케디아와 놀랍도록 유사하다. 그러나 그보다 더 놀라운 사실은 두 질병이 똑같은 상태를 초래한다는 점이다. 그것은 바로 믿음의 상실이다. 믿음의 조직인 교회가 아케디아를 그토록 두려워한 것은 신실한 수도승이 신의 존재에 대해 의혹을 품게 만들 수 있었기 때문이었다. 대체 그보다 더 최악의 상황이 무엇이겠는가. 마찬가지로 번아웃도 현대 기업 조직에 끔찍한 악영향을 미치고 있다. 가령 번아웃은 기존의 가치관을 송두리째 뒤흔들어 놓는다. 또 곳곳에 만연한 스트레스가 어떤 조작의 결과라는 사실을 깨닫게 한다. 오늘날 경제의 원동력인 노동에 대한 애착은 점차 사라지고, 더불어 열심히 일하려는 의욕도 차츰 사그라지고 있다. 흡사 수도승이 아무리 열심히 기도를 올려 봐야 아무런 위안도 받을 수 없다는 사실을 불현듯 깨닫고 신에게 기도하기를 멈추는 것처럼, 인정을 받지 못하는 노동자는 전의를 상실하고 만다. 노동자는 회의한다. 그냥 살기에도 짧은 인생을 과연 자신을 무시하는 저 다국적 기업과 자신을 경멸하는 저 주주들을 위해 헌신할 필요가 있는 것인가. 그들은 별안간 의문에 휩싸인다. 노동자는 어느새 자신감을 잃어버렸다. 그러나 자신보다 더 믿을 수 없는 존재가 있으니, 그것이 바로 현 시스템이다. 아마도 희망하건대, 자신에 대한 믿음은 언젠가는 회복되는 날이 반드시 찾아올 것이다. 그러나 한 번 흔들린 시스템에 대한 믿음은 영원히 회복될 수 없을 것이다. 번아웃은 언제나 주류 가치관에 대한 반성을 의미한다. 번아웃은 기술자본주의에 회의를 품은 수많은 새로운 무신론자들을 양산해 내고 있다.

콩고의 나병 요양소에서

번아웃은 정서적 소진과 믿음의 상실이라는 속성 말고도 또 다른 특징이 하나 더 있다. 이 세 번째 특징 역시 번아웃이란 단어가 유래한 배경 속에서 살펴볼 수 있다. 종종 시인과 작가는 인문과학의 선구자 노릇을 한다고 간주된다. 우리는 그들에게서 방금 막 잉태된 어떤 태초의 관념들을 발견할 수 있다. 그 관념들은 아직 어떤 해석도 가해지지 않은 순수한 상태지만 그럼에도 어떤 상황이나 맥락과는 밀접하게 연관되어 있다. 그들은 다른 이들이 인간의 삶을 철저히 분석하기 전에 인간의 삶을 탐험한다. 삶에 대한 어떤 인식 변화를 통해 그들은 자신만의 고유한 진실에 한걸음 다가선다. 그들의 진실은 특별한 진리이기에 더욱더 큰 중요성을 띤다. 때로는 좀 더 지적인 학문 분야에서까지 진리로 통용될 정도로. 그런 사실을 확실히 보여 주는 예가 바로 번아웃이라는 개념이다. 앞에서 우리는 프로이덴버거가 최초로 번아웃이라는 개념을 체계화한 인물이라는 사실을 확인했다. 그의 공로로 번아웃은 비로소 인문과학적으로 유의미한 개념이 되었다. 그럼에도 우리는 프로이덴버거를 진정한 의미의 번아웃의 창조자라고는 말할 수 없다. 번아웃이라는 말과 관념을 처음 만들어 낸 진정한 조물주는 따로 있기 때문이다. 그것은 바로 영국의 작가 그레이엄 그린이다. 그레이엄 그린은 1961년 《번아웃 케이스》라는 소설을 썼다. 어쩌면 프로이덴버거의 침상에도 한 권 놓여 있음직한 그런 책이 아닐까 싶다.

그린은 이 소설에서 단테가 남긴 냉철함이 빛나는 한 구절을 인용한다. 이 구절을 보면 이 책의 전반적인 분위기를 가늠할 수 있다. "Ino non mori, e non rimasi vivo."[26] 우리말로 옮기면 "나는 죽은 것도 아니지만, 산 것도 아니었다"라는 뜻이다. 이 짤막한 구절은 이 책의 주인공 쿼리Querry의 정신세계를 함축적으로 보여준다. 세계적인 건축가 쿼리는 선택받은 삶을 살고 있다. 숱한 여인들의 사랑을 받으며 부유한 생활을 영위하고 있는 그는 아마도 젊은 시절에는 잘생긴 얼굴로 꽤나 인기를 끌었을 것이다. 그러나 어느 날 그는 홀연히 벨기에 공항을 찾아 옛 식민지인 콩고행 비행기에 몸을 싣는다. 그리고 2주 동안 낡은 배를 타고 콩고의 강물

26 단테, 《신곡》, '지옥' 편, 34곡 가운데 인용. -역주

을 거슬러 올라간다. 그리고 더 이상 도망갈 곳이 없다고 느낀 마지막 순간, 막다른 길목에서 나병 요양소와 맞닥뜨린다. 쿼리는 그곳에 여장을 풀고, 불안감도 내려놓는다. 딱히 그에게 부과된 의무는 없다. 처음에 그는 그저 주위를 관찰하기만 한다. 아무것도 자신의 흥미를 끄는 것은 없다는 핑계를 대며. "나는 강 반대편에 도착했다. 아무것도 없는 무의 세계에."[27] 그러나 쿼리는 그 무의 세계 속에서 마침내 삶의 가능성을 발견한다. 나병 환자들은 고통에 시름하고, 벨기에인 신부들과 신을 믿지 않는 한 의사가 환자들의 고통을 경감해 주기 위해 고군분투하는 바로 그곳에서 쿼리는 서서히 변화의 과정을 겪는다. 대체 어떤 식으로? 사실 작가 그린은 임사 체험을 통한 구원의 깨달음을 이야기할 만큼 순진한 작가는 아니다. 물론 나병 환자의 일그러진 얼굴 속에서 신의 모습을 보았다는 류의 소설을 쓸 정도로 독실한 신자도 아니다. 그의 깨달음은 전혀 그런 성격의 것이 아니었다. 그가 머릿속에 떠올린 것은 놀라운 정신적 변화에 관한 문제였다.

작가 그린은 직접 아프리카를 여행한 뒤 자신의 경험을 모티브로 삼아 소설을 썼다. 그러니 소설이 구상된 과정이 궁금하다면

---

27 그레이엄 그린Graham Greene, 《번아웃 케이스*A Burnt-out case*》, 하이네만Heinemann, 영국, 1960년. 프랑스어 판본 《우기*La Saison des pluies*》, 파리, 로베르라퐁Robert Laffont, 2007년(초판 1961년), 145쪽. 당시 마지막에 't'를 덧붙인 영문식 표기에 유의.

작가가 끼적여 놓은 메모들을 살펴보는 것만큼 유익한 일도 없을 것이다. 때마침 한 편집자가 작가가 남긴 메모들을 모아 《등장인물의 성격을 찾아서. 두 개의 아프리카 일지》라는 제목의 책으로 펴냈다. 이 책을 읽어 보면 작가 그린도 훗날 자신이 창조하게 될 주인공처럼 해방을 꿈꾸며 벨기에령 콩고를 찾아갔던 사실을 확인할 수 있다. 그도 강을 거슬러 올라가 한 나병 요양소에 도착한다. 그러나 그런 것보다 훨씬 더 중요한 사실이 하나 있다. 그것은 바로 그도 여느 직업 작가들이 그렇듯, 현실감 있는 인물상을 창조하는 데 골몰했었다는 점이다. 그는 "소명처럼 여기던 자신의 일에 넌덜머리를 내며 완전히 기진맥진한" 한 남자를 머릿속에 구상했다. 그린은 작업 일지에다 이렇게 적었다. "예술을 향한 남자의 사랑은 여자들을 향한 사랑과 똑같은 길을 밟는다. 일종의 감각적인 권태가 끝내 사랑을 압도해 버린다."[28] 그것이 바로 쿼리라는 인물상이었다. 그런가 하면 좀 더 뒤쪽으로 가서 1959년 2월 16일자 일지를 보면 번아웃이란 개념의 출생 기록도 확인해 볼 수 있다.

나병 환자 가운데는 손가락이나 발가락을 잃은 뒤에야 비로소

---

28 그레이엄 그린, 《등장인물의 성격을 찾아서. 두 개의 아프리카 일지*A la recherche d'un personnage. Deux journaux africains*》, 파리, 로베르라퐁, 1961년, 39쪽.

병의 진행이 진정되고 병이 낫는 사례가 있다. 일명 '번아웃 케이스' 라고 불리는 경우다. 나는 거기서 극 중 인물 X와 나병 환자의 유사성을 발견했다. 극 중 인물은 심리적, 정신적으로 완전히 소진(번아웃)된 상태다. 어쩌면 그 같은 극한의 상황에 도달할 때에야 비로소 치료라는 것이 가능해지는 것은 아닐는지?[29]

작가 그린도 프로이덴버거처럼 은유를 활용한다. 미국의 정신과 전문의 프로이덴버거는 자신의 상태를 설명하기 위해 본래 마약중독자를 지칭하던 용어인 '번아웃'이란 말을 차용한다. 그린도 나병학 용어를 빌려 소설 속 주인공의 고유한 정신세계를 표현한다. 마약중독자에게서 자기 자신으로, 나병 환자에게서 소설 속 등장인물로. 두 은유는 평행한 길을 걸으며 이해의 수단으로 기능한다. 사실 은유는 아무런 의미 없이 임의로 사용되지 않는다. 은유는 우리의 언어와 정신세계를 이루는 기본 바탕이다. 단순히 언어의 차원에만 국한되지 않는다. 은유 속에는 "인간의 사

---

29 같은 책, 59쪽. 여기서 그레이엄 그린은 주석으로 중요한 사실을 지적한다. "번아웃이란 벨기에 의사들 사이에 사용되는 영어 표현이다. 프랑스어로는 적절한 등가어가 없다. 그래서 프랑스어 번역본에서는 완전히 다른 제목을 단 것이다." 프랑스어 번역본에 쓰인《우기》라는 제목은 아프리카 지역에서 뜨거운 열기가 내리쬐는 폭염이 끝나고 마침내 단비가 내릴 때 느껴지는 안도감을 떠올리게 한다. 그러나 원제보다는 함축성이 덜하다. 이것은 '번아웃'을 프랑스어로 번역하기가 얼마나 힘든지 처음으로 여실히 보여 준 예였다. 한편 이 책이 모델로 삼은 의사는 미셸 르샤Michel Lechat 남작이다.

고 과정"[30]의 흔적이 고스란히 녹아 있다. 말하자면 보이는 것을 단초로 보이지 않는 것을, 아는 것을 단초로 모르는 것을 이해하고자 하는 노력이 오롯이 담겨 있다. 물론 여기서 이해할 수 없는 대상이란 바로 어떤 정신 장애를 의미한다. 사실 번아웃 이전에도 많은 심리 상태를 나타내는 말들이 어떤 은유를 통해 의미를 획득했다. 가령 자궁의 이동을 연상시키는 히스테리, 무언가에 짓눌려 푹 꺼진 물리적 상태를 의미하는 우울증depression이 대표적이다. 그것들은 모두 어떤 구체적인 경험 세계를 바탕으로 (설령 그 경험 세계가 히스테리처럼 환상에 근거한 것일지라도) 정신세계를 표현한 사례에 해당한다.[31]

은유는 임의로 사용되는 것이 아닐 뿐더러, 또한 그 속에 결코 가볍게 넘길 수 없는 어떤 중대한 의미를 함의하고 있다. 어떤 학술 용어와 그 용어를 지칭하는 은유의 관계를 살펴보면 때로는 예

---

30 G. 라코프G. Lakoff, M. 존슨M. Johnson, 《일상생활 속 메타포*Les Métaphores dans la vie quotidienne*》, 파리, 미뉘, 1985년, 16쪽.

31 작가 윌리엄 스타이런William Styron은 우울증의 유래가 된 이 은유는 너무 미약하고 부적절하다며 못마땅해 했다. 그는 차라리 "두개골 안에 일어난 태풍"이라는 좀 더 강렬한 은유를 사용할 것을 제안한다. 그러면서 그는 이런 설명을 덧붙였다. "'멜랑콜리'라는 단어는 훗날 '우울증'이란 무미건조한 명사로 대체되었다. 학술적인 색채를 전혀 느낄 수 없는 그저 불경기나 움푹 팬 바퀴자국을 표현하는, 아무렇게나 마구잡이로 쓰이는 이 단어가 그런 중병을 표현하는 데 사용되고 있다. 그러나 만일 '멜랑콜리'라는 단어가 사라지지 않았더라면, 우울증의 음울한 면을 가장 그럴싸하게 보여 주는 더없이 적절한 표현이 되었지 않을까 싶다."(윌리엄 스타이런, 《보이는 암흑. 광기에 대한 기억*Face aux ténèbres. Chronique d'une folie*(원제: Darkness visible. a memoirs of madness)》, 파리, 갈리마르, 1990년, 62쪽) 한편 이와는 달리 '번아웃'이란 은유는 훨씬 더 명쾌하다.

기치 못한 놀라움을 발견하게 된다. 왜냐하면 언어, 다시 말해 활 시위에서 당겨진 화살은 지난 활의 흔적을 고스란히 간직하고 있기 때문이다. 그런 의미에서 기술자본주의를 위협하는 질병의 이름이 나병에서 유래했다는 사실은 상당히 역설적이다. 나병 환자란 본래 시민으로서의 삶에 사망 선고를 받고, 세상 모든 대륙에서 버림받은 자들이 아니던가. 그린이 고통이라는 유사성을 근거로 번아웃이란 단어를 그의 주인공에게 사용하는 대목은 무엇인가 성서적 요소를 떠올리게 한다. 말하자면 강한 자와 미천한 자가 모두 똑같이 벗은 몸으로 기묘한 입맞춤을 나누는 형상인 것이다.

이제 남은 의문은 과연 그린이 나병을 통해서 극 중 인물을 좀 더 깊이 이해하게 되었는가 하는 문제다. 쿼리는 오랜 시간 천재적인 건축가로 추앙받았다. 그러나 어느 날 돌연 환상에서 깨어난다. 그는 재능의 한계를 절감한다. 자신을 움직이는 원동력이 그저 한낱 허영과 돈뿐이었음을 깨닫는다. 사랑과 믿음으로 충만한 자들이 빚어낸 샤르트르 대성당에 견주어 보면, 자신이 만든 저 "메마른 도시에 마구 쑤셔 지은 시멘트와 유리로 된 성냥갑들"[32]은 그저 추하고 괴기스러운 구조물에 지나지 않는 것처럼 여겨진다. 결국 그의 노동은 의미를 상실한다. 명성도, 칭송도, 그의 깊

32 그레이엄 그린, 《우기》, 위의 책, 215쪽.

은 공허함은 결코 채워 주지 못한다. 그는 이제 재능이 소진된 듯한 기분에 휩싸인다. 여기서 그린은 이런 주인공의 의식을 표현하기 위해 우화 한 편을 예로 든다. 그는 소설의 인물을 타조알 모양의 보석을 세공하는 한 솜씨 좋은 보석 세공사에 빗대어 표현한다. "그것은 그저 금과 에나멜로 된 타조알 모양의 보석일 뿐이었다. 그런데 막상 그 알을 열면, 그 속에서 다시 탁자 앞에 앉아 있는 조그마한 인간이 모습을 드러냈다. 그리고 그 자그마한 탁자 위에는 또 다시 금과 에나멜로 세공된 작은 알 하나가 놓여 있는 것이다. 그런데 또 다시 그 알을 열면 그 속에서는 다시금 작은 알이 놓인 탁자 앞에 앉아 있는 작은 인간이 튀어 나왔다……."[33] 한도 끝도 없이 이어지는 이 겹겹의 작은 알들 안에는 말하자면 쿼리의 분신과도 같은 존재인 보석 세공사의 진실이 감춰져 있다. 그는 결국엔 즐거움의 파국을, 일의 파국을 맞이하리라. 어느 날 그는 알을 열다가 이내 권태로움에 사로잡힌다. 보석 세공이라는 정교한 작업에 그만 완전히 지쳐 버린 것이다. 우리의 삶이 이처럼 한도 끝도 없이 계속되는 러시아 인형의 연속이라면, 우리 삶의 의미가 매일 조금씩 작아지고 퇴색되는 것이라면, 머지않아 곧 무기력의 위험이 찾아드는 법이다.

한편 쿼리는 여자들과의 관계에서도 비슷한 모습을 드러낸다.

---

33 같은 책, 293쪽.

그토록 여자를 좋아하던 그는 더 이상 아무도 사랑할 수 없게 된다. 그도 그럴 것이 만족을 모르는 돈 주앙은 한 여인의 옷을 벗기는 순간 또 다시 다른 나체를 탐하고 새로운 여인에게 손을 대기 마련이다. 한 여인의 육신을 만지는 순간, 다른 여인의 옷을 탐하게 되고, 또 그 여인의 옷이 벗겨지는 순간 또 다른 여인을 향한 정복이 시작된다. 흡사 끝없이 튀어나오는 러시아 인형처럼 수많은 연인들이 한도 끝도 없는 환상의 행렬을 이루는 것이다. 언제나 만족감은 더 큰 욕망을 불러일으킨다. 그 같은 현실은 네르발이 쓴 한 유명한 시구를 떠올리게 한다. "열세 번째 여인이 돌아온다네. 그러나 그이는 여전히 첫 번째 여인……."[34] 어느 날 원무는 너무도 헛되고 지겨운 춤이었음이 드러난다. 모든 것이 어처구니없는 반복의 연속이었던 것이다. 모든 것이 이내 권태로움으로 끝이 난다. 쿼리가 아프리카행 비행기에 몸을 실은 것도, 바로 그런 사실을 깨달은 어느 아침이 아니었을까.

우리는 쿼리를 보는 순간, 어쩌면 우리가 사용하는 바로 그 용어로, '훌륭한 번아웃 케이스'라고 말하고 싶어질지 모른다. 그리고 하루 빨리 그를 치료해야만 한다고 충고하려 할 것이다. 그러나 지금까지 우리가 이 용어의 유래와 의미를 추적해 본 바에 따르면, 그린이 말한 번아웃은 우리가 말하는 번아웃과는 조금 다른

34 네르발의 시 〈아르테미스〉에서 인용. -역주

의미를 띤다. 그린은 끔찍한 상황을 벗어날 수 있을지도 모른다는 실낱같은 희망을 품고 무턱대고 다른 곳을 찾아 비행기에 몸을 실은, 정신이 혼미한 기진맥진한 한 남자를 표현하기 위해 '번아웃'이란 단어를 사용한 것이 아니었다. 물론 쿼리는 실어증에 걸릴 정도로 지치고 우울한 상태다. 그러나 그렇다고 그의 상태를 우리가 흔히 말하는 '번아웃' 상태로 단정할 수는 없다. 왜냐하면 그린에게 번아웃은 일종의 치유 단계를 의미하기 때문이다. 그가 쓴 글을 보면 이런 사실이 더욱 명확하게 드러난다. 번아웃이라는 은유를 창조해 낸 작가에게 번아웃이란, 내면에 곪아 터진 거짓된 무엇인가에 대한 환상을 훌훌 털어 버리고, 그것을 완전히 연소시킨 뒤, 자신에 대한 경멸을 완전히 불사른 이후에야 비로소 이를 수 있는 어떤 상태를 의미한다. 번아웃은 병에서 벗어난 사후, 다시 말해 부활의 시작을 뜻하는 것이다. 물론 이것은 매우 놀라운 사실이기는 하지만, 어쨌든 작가가 작품을 구상하는 데 단초를 제공한 나병과의 연관성을 생각해 본다면 충분히 수긍할 만한 주장이다. 소설에서 의사는 '감염원'[35]의 위상을 벗어난 나병 환자를 지칭하기 위해 나병 요양소 내에서 번아웃이라는 일상용어를 사용한다. 이 끔찍한 병은 악성 단계에 이르면 신경이 마비되고 사지가 훼손되거나 떨어져 나간다. 신경 손상의 결과 신체에는 흉측한 상

35 같은 책, 210쪽.

처가 남는다. 그러나 일단 신경이 손상되면 심각하게 발현됐던 병증이 비로소 진정된다. 이런 상태를 일컬어 흔히 병이 바싹 말랐다, '소진'됐다고 말한다. 그리고 그런 상태의 환자를 일컬어 '번아웃 케이스'라고 부른다. 번아웃 단계의 환자는 "'태울 수 있는' 모두 것을 전부 잃어버리고 난 뒤에야 비로소 나을 수"[36] 있는 것이다. 그러나 엄밀히 말하면 나았다는 것은 정확한 표현이 아니다. 왜냐하면 그는 절단된 신체 속에 여전히 나병의 상처를 그대로 간직하고 있기 때문이다. 그러나 단, 전염성만은 사라졌다. 'Consummatum est.' 번아웃이라는 영어 표현을 가장 적절히 옮겨 놓은 이 라틴어 표현대로, 말하자면 모든 것이 전부 타 버린 셈이다.

지금까지 세상에서 가장 수치스러운 병으로 여겨지는 한 질병의 주요 증상들을 살펴보았다. 그레이엄 그린은 이 병의 증세를 깊이 성찰하는 과정에서 이를 자신의 소설 속 주인공의 심리 정신 상태를 묘사하는 데 활용하려는 생각을 하게 된다. 쿼리는 아프리카에 도착했을 때 이미 수많은 것들에 감염된 상태였다. 가령 자기혐오와 환멸, 무기력, 성공 추구의 어두운 그림자, 자기기만, 그리고 무엇보다도 두려움이란 감정에 심하게 감염되어 있었다. 가령 "나는 유럽이 공포스럽다"라고 그는 말하지 않았던가. 앞서 살펴보았듯이 그가 겪고 있는 문제는 '정신적인' 영역에 속한다. 그

---

36 같은 책, 33쪽, 207쪽.

는 나병 요양소에서 환자와 의사, 성직자들과 함께 머무르는 동안 그가 갖고 있던 모든 두려움, 허황된 이상, 성공 지향적 인간에게서 나타나는 신경증 따위를 모두 불태워 소멸시킨다. 그는 그곳에서 완전히 소진된다. 그리고 과거의 자신을 벗어던진다. 그의 내면 안에 존재하던 성공과 돈을 쫓던 오만한 '옛 사람'[37]이 죽는다. 그리고 그와 더불어 기만과 거짓된 사랑, 유치한 나르시시즘으로 삶에 의미를 부여하려던 과거의 환상도 함께 사그라진다. 그것은 카타르시스, 탈피, 해방이었다. 그는 "성공이란 자연인[38]이 걸리는 일종의 신체가 손상되는 질병"임을 깨닫고 성공의 손아귀에서 벗어나려고 발버둥 친다. 그리고 열심히 자신을 불태운 끝에 비로소 이렇게 말할 수 있는 경지에 이르게 된다. "Consummatum est. 모든 형벌은 이제 끝났다. 일종의 황홀경처럼, 평온함이 내려앉는다."[39]

그렇다면 작가 그레이엄 그린은 그 일들을 몸소 체험한 것일까? 그는 소설에서 자기 자신의 이야기를 하고 있는 것일까? 그 점에 대해서는 무엇이라 정확하게 답변하기가 어렵다. 그러나 어쨌든 그가 쓴 일지를 읽어 보면 작가가 특히 현실감 있는 등장인물

---

37 성경에서 거듭나기 이전의 인생, 곧 타락한 본성을 좇아 살며, 거짓과 죄악을 일삼아 결국 심판을 받고 멸망할 존재를 의미한다.-역주

38 하느님과 관계가 단절된 채 죄와 허물로 죽음을 운명처럼 안고 살아가는 인간, 즉 거듭나기 이전의 죄로 타락한 본성을 좇아 살아가는 죄인을 가리킨다.-역주

39 같은 책, 368쪽.

과 한 개인의 특별한 체험을 구상하는 데 골몰해 있었다는 사실을 확인해 볼 수 있다. 그의 작품에는 조지프 콘래드[40]의 그림자가 어슬렁거리고 있다. 《어둠의 심연*Heart of Darkness*》에 나오는 말로우Marlowe라는 인물처럼 쿼리도 아프리카의 강물을 거슬러 올라가 인간의 가장 어둡고 비밀스러운 내면을 탐색하였다. 물론 콘래드의 문체는 효율성을 중요하게 여긴 그린에 견주어, 확실히 훨씬 더 풍요롭고 심오하고 섬세한 것이 사실이다. 그러나 어쨌든 두 작가는 모두 하얀 캔버스 위에 놀라울 정도로 무한한 상상의 나래를 펼쳐 나가며, 미학적, 지적, 정신적으로 풍요로운 세계를 일구어 낸다. 사실 그런 것이 바로 콘래드의 임무이기도 했다. 콘래드 연구가인 마유도 그러한 사실을 지적하고 있다. "그는 상상력이라는 풍요로운 재능을 통해 외적으로는 사람들과 사람들 간의, 내적으로는 그들 스스로와 그들 심연의 존재 사이에 놓인 저 고독의 장벽을 깨부수고자 했다. 자신에 대해 잘 알지 못하는 사람들에 대해 증언함으로써 그들을 세상에 널리 알리고자 했다."[41] 물론 그린도 그와 비슷했다. 그는 적절한 단어를 찾아 허구의 존재들에게 어떤 일관성을 부여하고자 했다. 복잡함 속에 완전히 길을 잃은 보통 사

---

40 Joseph Conrad: 19세기와 20세기를 연결하는 중요한 작가로 간주되는 영국 소설가 겸 해양 문학의 대표적 작가. -역주

41 장자크 마유J-J Mayoux, 《콘래드에의 입문. 어둠의 심연*Introduction à J. Conrad. Au coeur des ténèbres*》, 파리, 플라마리옹Flammarion, 1989년, 33쪽.

람들에게서는 도무지 발견하기 힘든 어떤 일관성을 찾아내고자 했던 것이다. 이상한 점은 오늘날 그가 찾아낸 이 단어는 나병 환자들의 침상보다는 오히려 경영의 본거지[42]에서 더 많이 울려 퍼진다는 점이다.

"나는 거의 모든 병을 치료했다. 심지어 권태까지도. 이곳에서 나는 행복했다." 쿼리의 마지막 말. 그는 이 말을 마지막으로 남긴 채 결국 어처구니없는 죽음을 맞이한다. 한 여인이 아프리카를 떠날 구실로 쿼리와 내연 관계라는 거짓을 꾸며 남편에게 고하는 바람에 결국 질투심에 눈먼 남편이 그를 살해해 버린 것이다. 삶의 끝자락까지 가서 이제 막 변신의 순간을 눈앞에 두었던 한 남자의 말로라기에는 너무도 참담하다. 그러나 어쨌든 그가 남긴 마지막 말은 마치 단테의 그 찬란한 구절처럼 장엄하게 울려 퍼진다. "Incipit vita nova(신생을 시작하다)"[43] 그는 지옥에서 돌아왔다. 모든 것이 타 버렸다. 그러나 남은 것이 있다. 그것은 바로 그 자신이다. 물론 번아웃의 모태를 찾아 나섰던 우리에게도 남은 것이 하나 있다. 그것은 바로 "이곳에서 나는 행복했다"라는 그 말이다. 인격의 변화가 절정에 이른 순간에 주인공이 외쳤던 이 말은 뜬금없는 진리처럼 메아리친다. 그러나 이 말이 곧 번아웃은 행복

42 프랑스어로 본거지officine라는 말에는 약국이란 뜻도 있다. -역주
43 단테의 《신생》 첫머리에 나오는 구절. -역주

에 이르는 길이라는 의미는 아니다. 그렇다면 그것은 너무도 낭만적인 지름길이 될 테니까. 오히려 이 말이 의미하는 바는 우리의 두뇌를 어지럽히는 현대의 환상들을 벗어던진다고 해서 우리가 반드시 불행해지는 것은 아니라는 의미다. 번아웃은 그 역사적 유래에서부터 이미 강렬한 이중성을 띠고 있었던 셈이다.

요컨대 태초의 번아웃은 변신을 일컫는 말이었다. 그것은 카타르시스를 지칭했다. 인간은 더 이상 동조할 수 없는 주류 가치, 믿음, 환상에 반기를 들고 대적하기 시작한다. 그리고 그것들을 완전히 벗어던진다. 이 보편적 테마는 언제나 좀 더 진실한 존재로 거듭나고자 하는 이들을 이끄는 안내자 구실을 했다. 가령 철학자, 종교인, 통과의례를 치르는 자, 귀신 들린 존재 등 모든 변화의 길을 가던 이들에게 길잡이 노릇을 했다. 번아웃이란 개념은 이처럼 정신적, 비의적 의미를 함의하고 있다. 번아웃에 내포된 투쟁의 차원도 바로 거기에서 기인한다.

정서적 소진, 믿음의 상실, 그리고 변신. 번아웃은 처음부터 심리학의 영역을 초월하는 의미를 담고 있었다. 자기 자신과의 투쟁, 그리고 좌절감을 주는 환경과의 투쟁은 결국 사회에 대한 비판으로 귀결된다. 현 노동 세계에서 이 장애를 일으킬 수 있는 여러 요인들을 살펴보면 현대의 번아웃 역시 개인의 차원을 넘어서는 문제라는 사실을 여실히 깨닫게 된다. 그 요인들 역시 우리의 문명과 깊이 연관되어 있다.

제2부
번아웃 기계

완벽주의와 결별하기

철학을 전공한 매튜 B. 크로포드는 일자리를 하나 따냈는데, 얼핏 모든 면에서 상당히 만족스러워 보였다. 전문 저널에 실린 과학 논문을 읽고 내용을 간단히 요약해 온라인 유료 데이터베이스에 올릴 글을 작성하는 일이었다. 그는 호기심이 많고 지적인 데다 글쓰기를 무척이나 좋아했다. 그가 해야 할 일은 주로 유전학자나 기후학자, 언어학자들이 쓴 글을 검토하는 것이었다. 이 같은 과제는 평소 그가 열렬히 소망하던 일이기도 했다. 그토록 꿈꾸던 지식 노동자가 될 수 있다니. 그것은 꽤나 매력적인 직업처럼 보였다. 게다가 썩 괜찮은 보수까지 덤으로 기대해 볼 수도 있었다. 그는 실리콘밸리 근교의 작은 도시로 출근하면서 사회 초년생이라도 되는 듯 의욕에 활활 불타올랐다.

그러나 그는 금세 냉혹한 현실을 깨달았다. 그가 하루에 요약

해야 할 논문 수는 자그마치 15편에 달했다. 그 정도 분량을 소화해 내려면 논문 한 편당 기껏해야 30분에 불과한 시간밖에 할애할 수 없을 것이었다. 아무리 관심 가는 글을 만나더라도 정독은 꿈도 꿀 수 없었다. 그를 고용한 회사는 온갖 원칙을 내세워 쓸데없는 시간 낭비를 줄이려고 했다. 가령 훌륭한 요약본을 쓰기 위해 굳이 논문 내용을 완전히 '숙지'할 필요는 없다는 신념을 철칙으로 삼았다. 중요한 단어 몇 개만 뽑아내고, 논지를 파악해, 유료 이용자의 마음에 쏙 들 만한 근사한 문장으로 옮기면 그것으로 끝이었다. 아니, 그것도 여의치 않다면 그저 그들이 지갑을 열게 만들 만한 번듯한 문장 몇 구절로 내용을 정리하면 그만이었다. 어쨌거나 매튜 크로포드는 일자리가 필요했다. 그는 앞으로 자기가 하게 될 일이 얼마나 끔찍할지 훤히 보이는 것만 같았다. 궁금해 미칠 것 같은 글들을 그냥 대충 훑어보고만 지나가야 한다는 건 얼마나 괴로운 일일까. 요약본을 만들면서 필자를 배신해야 한다는 건 얼마나 받아들이기 힘든 일일까. 필자가 힘들게 연구한 내용을 그렇게 소홀히 다룰 때마다 그들에게 폭력을 가하고 있다는 생각을 대체 얼마나 무수히 곱씹으며 살아가게 될 것인가. 그는 출근 첫날 이 모든 것을 직관적으로 예감했다. 직관력이 우리를 속이는 법은 없지만 그래도 우리는 시시때때로 직관력이 거짓을 고하도록 만들고 싶어 한다. 어쨌거나 보수는 꽤 쏠쏠했다. 그는 혈기왕성한 젊은이였고, 아마 현실에도 금방 적응할 것이다. 게다가 먹고 사는 것이 어디 그리 쉬운 일인가 말이다.

시간이 흐르면서 모든 불길한 예감은 현실이 되었다. 11개월 뒤 류머티즘학, 유체역학, 성의학, 슈바벤의 교부학에 이르기까지 온갖 기상천외한 분야를 넘나들며 그가 하루에 소화해 내야 할 논문의 양은 자그마치 28편으로 늘어났다. 방대한 양을 순식간에 해치우다 보니 어느새 그 분야가 그 분야 같이 느껴지기 시작했다. 수박 겉핥기식으로 겉만 대충 훑고 지나가는 바람에 요약본의 내용도 모두 다 '그 나물에 그 밥'처럼 천편일률적이 되어 버렸다. 지식 노동자는 어느새 단순 무식한 일벌레로 전락했다. 그는 매일 같이 강도를 높여 가는 속도전에 마치 영화 〈모던 타임즈〉에 나오는 찰리 채플린의 사촌 격으로 변해 갔다. 비록 우스꽝스러운 몸동작은 찾아볼 수 없었지만 말이다. 사실 그도 그럴 것이 말도 안 되는 문장들로 꿰맞춘, 온갖 전문용어들이 뒤죽박죽이 된 그의 혼란스러운 머릿속은 흡사 찰리 채플린이 일하던 조립 라인과도 비슷했던 것이다. 게다가 정작 요약 내용이 올바른지 감독하는 사람도 없었다. 중요한 것은 오로지 작업량뿐이었다. 논문 요약 일에 대해 일절 아는 것이 없는 주주들의 요구에 따라 야심찬 경영자는 노동자에게 오로지 양만을 강요했다. 그리 오래지 않아 권태와 무기력, 자아분열, 냉소, 우울증 등의 증상이 찾아들었다. 물론 그다음 수순은 여러분도 익히 알고 있을 것이다.

그래도 이 모든 수순을 밟고 난 뒤 크로포드는 이때의 경험을 한 권의 책으로 엮어 펴냈다. 말라르메[1]의 말마따나 그 정도면 꽤나 명예로운 탈출구를 찾아낸 셈이다. 크로포드는 용감하게도 넥타이를 과감히 벗어던지고 훌훌 떠나 버지니아주에 오토바이 수리점을 연다. 그리고 손으로 직접 금속을 주무르고, 엔진과 기계들이 일으키는 현실의 문제들과 씨름하는 가운데, 마침내 노동의 참된 의미와 가치를 발견한다. 그는 자신의 저서 《카뷰레터 찬가. 노동의 의미와 가치에 대한 에세이》[2]에서 지식 경제가 약속하는 허황된 미래를 아주 냉철한 시선으로 꿰뚫어 보았다. 그는 손으로 하는 일들의 가치를 재평가하며, 이른바 그가 "화이트칼라 테일러리즘[3]의 절름발이들"[4]이라고 부르는, 손에 때를 묻히지 않은 노동자들을 무조건 우월하게 생각하던 과거의 근거 없는 편견을 타파한다. 물질에서 비로소 기쁨과 평온을 되찾은 그의 모습을 지켜보고 있자면, 그가 혹 질베르 시몽동[5]이 주창한 독창적 기술철학 사상의 열렬한 추종자가 아닐까 느껴지기도 한다. 물론 그가 시몽

---

1 프랑스의 시인. -역주

2 원제는 《Shop Class as soulcraft(영혼을 만드는 기술 수업)》. 국내에는 《모터사이클 필로소피》라는 제목으로 출간됐다. -역주

3 Taylorism: 경영학자인 테일러가 창시한 과학적 관리 기법. 노동자의 움직임, 동선, 작업 범위 등 노동 표준화를 통해 생산 효율성을 높이는 체제를 뜻한다. -역주

4 매튜 B. 크로포드Matthew B. Crawford, 《카뷰레터 찬가. 노동의 의미와 가치에 대한 에세이*Eloge du carburateur. Essai sur le sens et la valeur du travail*》, 파리, 라데쿠베르트La Découverte, 2009년, 164쪽.

5 Gilbert Simondon: 첨단 기술 정보사회에 직면하여 기술의 본성 및 기계에 관한 새로운 시각을 제시한 프랑스의 기술철학자. -역주

동에 대해 그리 잘 알았던 것 같지는 않지만 말이다. 그래도 어쨌든 시몽동의 분석이 정치와 경제에 미친 영향에 대해서는 충분히 고찰해 볼 만한 가치가 있다. 사실 그의 생각대로 콜센터나 요금 납부 창구는 해외로 이전할 수 있을지 몰라도, 여전히 배관공의 원격 근무는 상상하기 힘든 세상이 아닌가. 그도 지적했듯이 인터넷에 대고 못질을 할 수는 없는 노릇이니까. 그러니 본디 세계화란 인간이 세계와 맺고 있는 실질적인 차원의 관계까지는 건드리지 못한다는 한계점이 있다.

사실 크로포드의 경험은 매우 흥미롭다. 왜냐하면 그가 번아웃이 거울처럼 반영하는 어떤 현실에 대해 깊은 성찰의 실마리를 제공하고 있기 때문이다. 덕분에 우리는 흔히 빠지기 쉬운 두 가지 편견을 타파할 수 있다. 첫째, 사람들이 흔히 생각하는 것과 달리 직무 소진이란, 일을 하기 싫어 몸을 배배 꼬는 사람들이 아닌 오히려 자기 일에 헌신적인 사람에게서 더 잘 나타난다는 것이다. 가령 출근 첫날 의욕에 불타오르던 크로포드의 모습을 떠올려 보라. 그가 얼마나 일을 사랑하는 사람인지 쉽게 짐작이 갈 것이다. 그러니 아무리 게으름을 찬양하는 연구 논문에서 일에 대한 사랑을 희화화할지라도 헛일이다. 일에 대한 사랑은 거의 모든 사람의 뼛속 깊이 잠재된 욕망이다.[6] 일을 하고 싶다는 욕망은 아주 기본

6 이 개론서를 쓴 작가들은 대개 게으름과는 거리가 먼 사람들이었다. 공들여 다

적인 인간의 욕구에 속한다. 그래서 많은 이들이 그토록 실업을 비극적인 일로 여기는 것이 아니겠는가. 크리스토프 드주르도 다음과 같이 지적한다.

> 건강한 사람은 누구나 노동을 하고 싶다는 강렬한 의욕을 보이기 마련이다. 노동 시스템에 진입한 인간은 끊임없이 두뇌와 인성 등의 내적 자원을 총동원하려고 한다.[7]

두 번째 편견은 정서적 소진자를 부적응자로 바라보는 시각이다. 노동자를 돌보는 의사들은 종종 진단서에 번아웃을 "부적응 장애"로 표기하기도 한다. 그러나 그것은 너무도 뜬금없고 모호한 표현이다. 정말 크로포드는 맡은 임무에 적응할 만한 능력이 없는 인물이었던 것일까? 너무 우둔하고 게으른 사람이었을까? 부적응 장애를 초래한 원인은 혹 그의 일이 아니었을까? 그런데 조금만 더 깊이 생각해 보면 이런 종류의 논쟁은 모든 사람을 적응자와 부적응자로 나누는 현 시스템의 어떤 이념적 명제에 근거

듬은 문장, 논리정연한 주장이 바로 그 증거다. 물론 그들에게 글쓰기는 노동이 아니었다. 오히려 열정적으로 즐기는 취미 같은 것이었다. 그러나 아침나절 동안 내내 책상 앞에 앉아 모니터만 바라다보는 것은 진정 한가한 사람의 모습이라 볼 수 없다. 한가하게 유유자적하는 자라면 차라리 나무 그늘 아래 쉬는 모습이 더 적절할 것이다.

7 크리스토프 드주르Christophe Dejours, 《살아 있는 노동. 2. 노동과 해방*Travail vivant. 2. Travail et émancipation*》, 파리, 파이요Payot, 2009년, 103쪽.

한다는 사실을 쉽게 깨달을 수 있다. 그러나 그것은 결코 올바른 명제가 아니다. 사실 인간은 놀라울 정도로 유연한 존재다. 인간은 탄력적이고, 다루기가 쉽고, 잘 휘어져서 순식간에 새로운 환경에 적응한다. 때로는 본인이 그런 변화를 직접 원했다고까지 여겨질 정도다. 모든 민족학 박물관은 대개 인간이 얼마나 다양하고 섬세한 적응 전략을 발휘하며 살아가고 있는지를 여실히 보여 준다. 또한 가히 실시간 민족학 박물관이라 부를 만한 TV 역시 우리 인간 종족이 얼마나 무한한 변화 능력을 가지고 있는지 숱하게 증명해 보인다. 그러나 인간은 결코 적응하는 데만 만족하지 못한다. 자아실현, 다시 말해 언제나 더욱 원대한 목표를 좇기 마련이다. 적응이 그 자체로 목적이 되는 경우는 극히 드물다. 바로 그것이 현 시대의 문제점이다.

현 이데올로기의 취약점은 오로지 적응에만 관심을 기울인다는 데 있다. 사람들은 누구나 자기가 하는 일에 적응해야 하고, 피고용자는 기업 문화에 순응해야 한다. 예술가는 문화 산업의 규칙을 잘 지켜야 하고, 이민자는 이주한 나라의 삶의 양식을 잘 따라야 한다. 그러나 진짜 본질적인 문제는 따로 있다. 인간의 다양한 행동 양식 가운데 적응은 대개 부차적인 행위에 불과할 뿐이라는 것이다. 대부분의 경우 적응은 더 높은 목적을 달성하기 위한 수단에 불과하다. 인간은 적응을 바탕으로 자아를 실현하고 세상에 자신의 족적을 남기려는 상위의 목표를 추구한다. 인간이 환경에 적응하려는 이유는 먼저 환경에 적응한 다음 그것을 다시 자신의 존재에 적합한 환경으로 바꾸기 위함이다. 가령 요제프 누틴[8]도 이렇게 말한다. "세상에 적응한다는 건 자신이 계획하는 바에 맞게끔 세계를 개조하는 일이다."[9] 우리의 통념과 달리 인간은 현실에 적응하려는 욕망만 가진 게 아니다. 환경의 요구만 따르고 살기에 우리의 인생은 너무도 짧다. 인간은 무의식적으로 환경을 개선하거나 개조하기를 희망한다. 가령 요제프 누틴도 이렇게 말했다. "적응이란 환경의 제약이나 유기체의 유연성이 허락하는 한도 내에서 생명체가 자기 고유의 구조를 실현하기 위해 펼치는 일종의 전술이다."[10] 처음에 환경은 비협조적인 것처럼 보이기도 한다. 그러나 환경은 종국에는 목적을 달성하는 데 긍정적인 역할을 한다. 가령 인간이 잠재력을 발휘할 수 있는 것도 모두 인간이 돈을 벌기 위해서는 일을 해야 한다는 그 노동의 필요성 때문이 아닌가.

---

8 벨기에의 심리학자. -역주

9 요제프 누틴Joseph Nuttin, '적응Adaptaion', 《위니베르살리스 백과사전*Encyclopédie Universalis*》, 파리, 1990년, 제14권, 256쪽. 이후 적응에 관한 누틴의 멋진 연구 논문은 개정판에서 해당 문제에 대한 관심이 퇴색된 다른 연구로 대체되었다.

10 질베르 시몽동은 자신의 저서 《심리 · 집단적 개체화*l'Individuation psychiaue et collective*》(파리, 오비에Aubier, 1989년)에서 적응을 개체화에 종속되는 개념으로 보는 위와 비슷한 추론을 전개했다. 게다가 그는 좌절감을 주는 적응의 예로, 코닥 창립자의 죽음 같은 자살 사건을 거론하였다. 좀 더 자세히 설명하자면, 조지 이스트먼은 화려한 직업적 성공을 거둔 후 이런 말을 마지막으로 남긴 채 스스로 목숨을 끊었다. "내 일은 끝났다. 이제 더 기다릴 이유가 무엇일까?"

번아웃은 적응의 현실을 반영하는 거울이다. 오늘날 적응은 부조리하고 실망스러운 모습으로 변해 버렸다. 오로지 적응 자체만을 목표로 하였기 때문이다. 결코 이룰 수 없는 완벽주의의 함정인 셈이다. 사실 크로포드의 일화도 주어진 과제에 보다 잘 적응하기 위해 발버둥 치는 한 선량한 남자의 시도로 읽힌다. 그에게는 조금 견딜 만하다 싶으면 어김없이 더 무거운 과제가 부과된다. 애당초 경영자는 그에게 숨 돌릴 틈을 줄 생각이 없다. 조금이라도 적응의 징후가 보이면 당장 또 다른 도전 과제가 추가로 부여된다. 아니, 그것은 도전 과제라기보다는 차라리 가혹 행위에 더 가깝다.[11] 만일 그렇게까지 비극적이지만 않았더라면, 우리는 크로포드의 노동을 인간의 한계를 알아보기 위한 한 얄궂은 학자의 심리 실험 정도로 치부했을지도 모른다. 분명 인간의 한계는 존재한다. 이런 한계는 상황에 따라 유연하게 설정해야 한다. 그러나 근본적으로 인간적인 한계보다 더 선행돼야 하는 한계가 있다. 그것이 바로 존재론적 한계다. 존재론적 한계란 모든 적응은 자기실현을 가능하게 해 주는 적응이어야만 한다는 요구를 바탕에 깔

11 앞의 책, 알렉상드르 데 이스나르와 토마 쥐베르가 쓴 《개방형 공간이 나를 죽였다》에도 비슷한 예가 나온다. 어떤 노동 조직은 노동자가 끊임없이 사무실을 옮겨서 일상성에 너무 익숙해지거나 혹은 동료들과 친해져 시간을 낭비하는 일을 막는다. 이 경우에도 목적은 인간이 결코 현실에 적응하도록 내버려 두지 않는 것이다. 마치 적응을 위해 투쟁하는 사람에게서 더 높은 수익을 취할 수 있기라도 하듯이.

고 있다. 세상에 가장 공허한 일은 자기실현에 이르지 못한 채 한도 끝도 없이 적응만 하다 인생을 마감하는 것이다. 다시 말해 끊임없이 수단으로서만 기능하며 목적에는 이르지 못하는 삶을 의미한다.

이런 분석은 경영자들이 내세우는 담론의 허위성을 여실히 깨닫게 해 준다. 그들의 담론은 탐욕스러운 목표를 아주 듣기 좋은 거창한 말로 포장하고 있다. 그러나 실상 그것이 추구하는 것은 오로지 인간의 한계를 더 극단으로 밀어붙이고 노동자의 고혈을 쥐어짜 더 많은 수익을 취하려는 것뿐이다. 대개 이런 담론들은 대동소이한 구조를 띤다. 말하자면 적응의 의무를 일종의 중대한 가치로 변환시키는 식이다. 그러면 이야기가 훨씬 더 그럴싸해지기 때문이다. 가령 이제는 "현실에 적응하라"고 말하는 대신 "새로운 가치를 수용하라"고 말한다. 모든 의미가 상실되어 가고 있는 이 시대에 가치의 언어는 여전히 따뜻한 위로를 건네는 한 줄기 빛처럼 여겨진다. 가령 여성에게 일과 가정의 조화로운 양립은 "여성 임원executive woman"이라는 고결한 우상으로 거듭난다. 산더미처럼 쌓인 업무 처리는 "긍정적인 스트레스"라는 가치의 탈을 둘러쓴다. 이 직무 저 직무 전전하는 삶은 "유연성"이라는 가면을 덮어쓴다. 온갖 모순으로 가득 찬 현실은 "열린 정신", "고차원 사고 능력"이라는 유명한 라이트모티프[12]를 통해 극복되어야만 하는 것으로 간주된다. 숫자의 지배에 무릎을 꿇는 행위는 "평가"라고 불리고,[13] 독촉과 명령으로 가득 찬 전자우편 더미는 "연결성connectivity"으로 표현된다. 휴대전화를 항시 켜 두는 것을 "근접성proximity"이라 부르고, 즉각적인 명령 이행은 "기민한 반응reactivity"이라고 표현한다. 하루 12시간씩 꼬박 컴퓨터 모니터 앞에 앉아 두 눈을 혹사하는 행위는 "24시간 항시 대기 능력disponibility"이라 불린다. 이처럼 오늘날 온갖 기이한 표현들이 인간을 꼼짝없이 의자에 붙박아 놓고 있는 것이다.

곳곳에서 가치의 언어가 만개하고 있다. 그러나 가치의 언어를 만들어 사용하는 자들은 가치라는 개념에 대해 무엇인가를 혼동하고 있다. 그들이 말하는 가치는 결코 진정한 의미의 '가치'가 아니기 때문이다. 가치란 경영 뉴스피크[14]가 자신들의 열렬한 신자들에게 제안하는 용어보다는 훨씬 더 비정형적이고 다의적인 말이다. 그들이 말하는 가치는 가면으로 위장한 명령이자 다른 이름으로 개명한 강제적 책무다. 가치의 언어는 적응의 영역과 짐짓 이별을 고한 듯이 행세한다. 그러나 실제로는 여전히 적응의 영역에

---

12 Leitmotive: 음악 용어로 악극 등에서 주요 인물의 특정한 감정 따위를 상징하는 동기. 곡 중에서 반복 사용함으로써 극의 진행을 암시하고 통일감을 줄 수 있다. 여기서는 지겹게 반복되는 구호 정도의 의미를 지닌다. -역주

13 마티유 테랑스는 이렇게 썼다. "숫자는 영혼이 없다. 언어로는 거짓말이 아닌 것처럼 말하기 쉽지 않은 이야기를 아직까지는 숫자를 통해 표현할 수 있다. 논쟁과는 다른 영역에 속하는 숫자는 논쟁의 여지가 없다." 《숫자의 변화*Le Devenir du nombre*》, 파리, 스톡Stock, 2012년, 35쪽.

14 newspeak: 주로 정치 선전용의 모호하고 기만적인 언어를 말한다. -역주

머물러 있다. 아니, 어떤 의미에서는 적응의 비중을 훨씬 더 확대했다고도 볼 수 있다. 그러니 문제는 적응이 자아실현으로 끝내 변신하지 못한 채 쉴 새 없이 적응 과정만 반복하다 지쳐 버리는 것이다. 그런 것이 바로 완벽주의 달성의 숨가쁨이다. 완벽한 적응은 결국 실망스럽고 피로하다.

가장 최악의 적응은 수익이 지배하는 세계에 군림하는 적응이다. 수익지상주의는 노동 세계와는 동떨어진 곳에서 살아가는, 노동의 속도나 규범에 대해서도 완전히 무지한 자들이 만들어 낸 강제 조약을 노동자에게 강요한다. 배금주의가 예전처럼 세계를 장악하고, 그것과 짝을 이루는 물질주의적이고 야만적인 이기주의가 고삐 풀린 듯 활개를 친다. 과거에 샤를 페기도 자신의 저서 《돈》에서 이런 현상을 다음과 같이 비판하였다.

> 우리는 인류 역사상 가장 흉악한 양극화 시대에 살고 있다. 과거에도 사람들은 삶을 영위하고, 자식을 낳아 키웠다. 그러나 지금의 우리처럼 도형수가 된 듯한 기분에 시달리지는 않았다. 우리처럼 경제가 숨통을 조여 오는 느낌, 목에 매인 쇠줄이 하루하루 점점 더 단단히 목을 죄어 오는 기분을 느끼지는 않았다.[15]

15 샤를 페기Charles Péguy, 《돈*L'Argent*》, 개정판, 파리, 에디시옹데제콰퇴르Edition des Equateurs, 2008년.

오늘날에도 참으로 큰 울림을 주는 글귀다. 물론 현 시대에는 필자가 말한 권력 주체가 새롭게 바뀌어 신용평가사, 다국적기업, 연기금 투기 세력 등이 과거의 예속을 대체하고 있다. 그렇다고 과거에 비해 쇠줄이 더 느슨해졌다거나 조였던 목이 풀린 것은 아니다. 반대로 권력이 디지털화되고, 세계화되면서 오히려 권력의 압박은 더욱더 강압적이고 잔혹하게 변해 버렸다. 문제의 핵심은 권력의 탐욕이다. 바로 거기서 갖가지 다양한 소외 현상이 발생한다.

아마도 시간은 우리가 가진 가장 값비싼 재화에 속할 것이다. 앙드레 브르통도 자신의 묘비에 이런 연금술사 같은 말을 남기지 않았던가. "나는 시간이란 황금을 찾고 있다." 우리도 브르통과 마찬가지로 시간이 무언가 신나는 것을 우리에게 선사해 주기를 희망하곤 한다. 그러나 우리를 파고드는 문명병 속에서 시간은 그 모습이 바뀌어 버렸다. 적응이라는 책무가 끝내 매우 사적인 성격을 지니는 시간의 영역까지 완전히 장악해 버린 것이다. 세상은 이제 시간의 규범에 적응해야 한다고 소리 높여 부르짖는다. 달력의 날짜에, 기한에, 시간에, 약속 일정에 적응하라고 말이다. 시간heure은 어디에나 있지만 시간temps은 아무 곳에도 없다. '데드라인deadline'이란 말은 우리의 시간성이 빈사 상태에 빠졌음을 여실히 보여 준다. '사선의 시간'은 불안하고 치명적인 순간이다. 그 시간의 선을 넘어가는 순간 우리는 패배자가 된다. 시간은 일종의 양식이 되었다. 우리는 혹여 시간이라는 양식이 바닥이라도 날까 전전긍긍하며 살아간다. 참으로 기이하다. 문명 덕에 시간을 벌어 줄 수많은 기기들을 만들어 냈다고 생각했는데 여전히 우리는 시간에 쫓기며 산다. 매번 종종걸음을 치고, 뛰어다니고, 부산스럽게 움직이고 있다. 기껏해야 계속해서 존재하겠다는 목적 하나 때문에 말이다. 폴 비릴리오[16]에 이어 이러한 변화를 하나의 이론으로 정립한 하르트무트 로자[17]가 지적한 바와 같이, 시간의 가속은 어느새 소외의 근원이 되어 버렸다. "시간 규범이 지닌 은밀한 규범의 힘"[18]에 떠밀려 인간은 어쩔 수 없이 속도전을 치르며 살아가는 형편이다. 그러다 종래에는 자신의 삶을 상실한 것만 같은 기분에 휩싸이고 만다. 그것은 인간이 오로지 강압된 시간 속에만 존재하는 탓이다(기차 시간, 교통 체증 시간, 노동 시간, 수업 시간, 식사 시간, 어린이집 운영 시간, 상점의 개점 및 폐점 시간, TV 프로그램 방송 시간, 해 지는 시간, 해 뜨는 시간 등등. 그것은 마치 자물통에 잠긴 시간처럼 보인다).

시간을 온전히 향유하는 것이야말로 자기 자신이나 세계와 더욱 내밀해질 수 있는 소중한 기회다. 우리는 시간과 평화로운 관

16 Paul Virilio: 속도에 대해 사유한 프랑스 사상가. -역주
17 Hartmut Rosa: 독일의 사회학자. -역주
18 하르트무트 로자, 《소외와 가속. 때늦은 현대성에 관한 비판적 이론을 향하여*Aliénation et accélération. Vers une théorie critique de la modernité tardive*》, 파리, 라데쿠베르트, 2012년, 57쪽.

계를 맺을 때 비로소 환경과도 교감을 나눌 수 있다. 그 순간 '지속'은 선물이자 나눔이 되고, 상생과 관찰의 원천이 된다. 이른바 베르그송이 '지속durée'이라고 부르는 '경험된 시간'은 삶을 영원한 창조로 바꾸어 준다. 단순히 시간에 적응하는 데만 그치지 않고, 시간에 힘입어 한층 더 풍요롭고 놀라우며 환상적이기까지 한 내면의 삶을 창조할 수가 있는 것이다. 왜냐하면 시간은 적이 아니기 때문이다. 시간은 수많은 삶으로 수놓아진 편물이다. 시간은 일정한 간격으로 쪼개져 삶을 제어하고 착취하는 매개가 될 때에만 유일하게 적대적인 존재로 돌변한다. 그런 경우에는 하르트무트 로자가 말한 '비동기화desynchronization의 질병'이 발생한다. 로자는 이것을 다음과 같이 설명한다.

> 알랭 에렌베르[19], 로타르 바이어[20]를 비롯한 저술가들은 현대 사회에서 급증하는 우울증이나 번아웃은 시간에 과부화가 걸리고 스트레스가 격화된 데서 비롯된다고 말한다. 우울증에 걸린 사람은 별안간 시간을 다른 방식으로 인지한다. 역동적이고 생동감 넘치는 시간에서 나온 그들은 시간의 수렁에 빠진다. 시간은 더 이상 흐르지 않고 정체된다. 흡사 과거와 현재, 미래 사이의 모든 유의

---

19 Alain Ehrenberg: 프랑스 사회학자. -역주
20 Lothar Baier: 독일의 저술가 겸 번역가. -역주

미한 관계가 완전히 깨져 버린 것만 같다.[21]

프랑스어로 '끝없는 노동travail sans fin'은 이중적 의미를 지닌다. 그것은 한계가 없는 노동을 의미하는 동시에 목적이 없는 노동을 뜻한다. 이 두 가지 규제의 완화는 항상 짝을 이루어 나타난다. 그래서 때로는 숨가쁨을 일으키는 원인으로 귀착된다. 그러나 이 두 가지는 오로지 노동의 영역에서만 나타나는 것이 아니다. 한계와 목적의 부재는 더 넓게는 우리 기술 문명 전체의 어두운 그림자를 이루고 있다. 그런 의미에서 번아웃은 그런 현실을 만들어 낸 현 사회를 반영하는 거울로 간주된다. 한편 과도함은 기술과 재화를 구매하는 소비자의 활동에서도 찾아볼 수 있다. 현 세계는 별로 좋아하지도 않는 누군가를 놀래 주기 위해 그다지 필요하지도 않은 무엇인가를 사라며, 우리로 하여금 가지지도 않은 돈을 쓰게끔 부추긴다. 이러한 세상에서는 어느 곳에나 폭식이 존재하지만 어느 곳에도 의미는 존재하지 않는다. 누군가의 과도한 노동은 다른 이의 열성적인 소비에 부응하기 위한 것이고, 또 그런 열성적인 소비는 제3자의 돈을 향한 맹렬한 탐욕에서 비롯된다. 시스템 전체가 '과도함trop'의 징후를 띠고 살아간다. 현 시스템은 총체적으로 과열되고 기진맥진한 상태다. 그러니 여기서 우리는 또

21 같은 책, 95쪽.

다시 과도한 적응의 메커니즘과 마주하게 되는 것이다.

기술이란 대체 무엇인가? 기술이란 세계에 적응하기 위한 도구가 아닐까? 기술은 일종의 수단이다. 기술은 인간을 돕기 위해서 만들어진 것이지 결코 인간을 노예처럼 부리기 위해 만들어진 것이 아니다. 제각기 놀라운 문화적 작품이라고도 할 수 있을 만한 무수한 기술이 탄생하면서 복잡한 '기술 환경'이 창조됐다. 인간은 각자 이 새로운 기술 환경에 적응해야만 한다. 그런데 이 환경은 나름의 고유한 법칙과 책무를 인간에게 부과하고 있으며, 빠른 속도로 변화하고 있다. 적응을 잘 하는 자에게 기술 환경은 물질적 풍요와 안락, 그리고 안전을 보장해 준다. 그러나 기술 환경에 적응하려면 값비싼 대가를 치러야만 한다. 기술 환경의 요구에 맞추어 살려면 많은 비용이 든다. 그래서 개인은 더 많은 돈을 벌기 위해 더 열심히 일해야 하는 것이다. 그러나 기술 환경은 나날이 더 복잡해지고, 장기간에 걸친 고비용 전술을 필요로 한다. 그럼에도 그 자체는 누구도 극복할 수 없는 불가능한 전술인 것은 아니니, 열성적인 기술 찬양론자들은 기술 환경을 열렬히 선전한다. 그러나 인간이 인간을 위해 만들어 낸 기술 환경은 단지 인간의 환상을 물질적으로 구현해 놓은 것에 불과하다. 인간 망상의 요람이자 무덤인 것이다. 어쨌든 그들은 주장한다. 현실에 적응하고, 첨단을 걸으며, 새로운 시대에 발맞추어 나가라고. 대체 무슨 목적 때문에? 현실에 적응하기 위해서. 그렇게 하는 이유는? 그래야 현 시스템 속에서 존속할 수 있으니까. 현 시스템의 달콤한 과실을 누리고, 무엇보다 다음 업데이트에 대비할 수 있으니까. 적응의 폭압에는 별다른 이유가 없다. 오로지 적응 그 자체가 목적일 뿐이다. 수단은 장벽을 형성한다. 그리하여 수많은 목적들이 자리하고 있을 저 지평선을 덩그러니 가로막는다.

다시금 우리는 어떤 기술 협약[22]을 체결해야 할 시급성을 깨닫는다. 오늘날 전적으로 철학적인 문제에 기술 문명이나 그 규범이 너무도 중대한 영향력을 미치고 있기 때문이다. 그렇다면 자기실현에는 전혀 관심이 없는 완벽한 적응의 대표적 예가 무엇일까? 아마 가장 설득력 있는 유일한 답변은 기술 제품의 작동 방식이 아닐까? 우리는 종종 누군가에게 아무런 문제없이 완벽하게 일을 수행하라고 명령하면서 무의식적으로 그가 굉장히 믿을 만하고 다채로운 임무를 수행할 수 있는 영혼 없는 기계이길 바라는 욕망에 휩싸인다. 말하자면 새로운 '미메시스'[23]가 우리 사회를 관통하고 있는 것이다. 기술 제품은 성공의 모델처럼 여겨지고, 우리가 점점 더 닮아야 할 비교의 항으로 간주된다. 직장에서 누군가 기계처럼 일한다고 하는 말은 곧 칭찬을 의미한다.[24]

---

22 필자는 기술지상주의를 막기 위해 18세기 루소의 사회계약과 비슷한 새로운 종류의 기술계약을 마련해야 할 필요성을 주장한다. -역주

23 모방을 의미. -역주

24 이 미메시스의 환상은 포르투갈의 소설가이자 인식론의 권위자인 공살로 M. 타바리스Gonçalo. M. Tavares가 쓴 《기술의 시대에 기도하는 법 배우기*Apprendre*

그러나 기계를 닮고자 하는 욕망은 인간이 기능적인 측면에만 몰두하며 더 고차원적인 열망을 품는 걸 가로막는다. 번아웃에 대한 성찰이 기술 협약의 필요성을 제기하는 것은 이런 미메시스를 깨부수기 위해서다. 인간은 훌륭한 기계를 무수히 발명해 냈다. 그러나 인간이 기계를 만들어 낸 것은 기계를 닮기 위해서가 아닌 이용하기 위함이다. 기계의 기능을 질투하기 위해서가 아닌 기계의 도움을 받아 작업을 수행하기 위함이다. 기술 협약은 이런 기본적인 차이를 상기시킬 수 있어야 한다. 물론 이러한 원칙을 대놓고 부인하는 사람은 아무도 없다. 그러나 실제로는 누구도 이러한 원칙을 잘 지키지 않는다. 아리스토텔레스가 '도구 중의 도구'라고 말한 인간의 손은 다양한 작업을 수행하는 데 적합하게 만들어져 있다. 그러나 인간의 손은 완벽성이란 것이 으레 그렇듯 한 치의 오차도 없이 완벽하게 항상 똑같은, 단조로운 움직임을 수행하기에는 적절치 않다. 각각의 신체 기관이 특수한 기능을 담당하는 동물과는 여러모로 차이가 난다. 손은 변주, 변화, 새로움의 창조, 특화의 지양을 이상으로 삼는 존재의 표상이다. 기계를 닮으려는 욕망, 노동자에게 기계를 닮으라고 강요하고 싶은 욕망은 근본적으로 퇴행적이다. 반면 기술 협약이란 차이의 중요성을

à prier à l'ère de la technique》(파리, 비비안아미Viviane Hamy, 2010년)에서도 쉽게 찾아볼 수 있다.

표방한다. 인간을 위해 완벽한 불완벽성을 강조한다.

기술 협약을 맺지 않는다면, 아마도 언어는 '의미가 상실'된 언어에 불과한 채로 남을 것이다. 번아웃의 사례를 연구하다 보면, 우리는 자주 의미의 상실이란 표현을 접하게 된다. 그러나 의미의 상실은 번아웃 말고 다른 곳에서도 나타난다. 가령 풍요로움으로 충만한 소비자, TV에 취한 인간, 거대한 창고로 둔갑한 상점 안을 헤매는 영혼들에게서도 발견할 수 있다. 철학자에게 의미란 여전히 명쾌하게 정의 내리기 어려운 말이다. 의미란 어느 곳에나 빠지지 않고 등장하지만, 정작 그것만 따로 떼어 보여 주기는 힘들다. 의미의 정체를 알아내기를 원하는 자들은 누구나 펠리니Fellini의 영화 〈로마〉에 나오는 지하철 공사장의 인부들과 유사한 상황에 처해 있다고도 볼 수 있다. 인부들은 지하철 갱도를 파다 우연히 고대 로마의 유적을 발견한다. 전등 불빛을 비추자 아름다운 벽화가 모습을 드러낸다. 한순간 그들은 넋을 잃고 작품을 감상한다. 그러나 그것도 잠시 뿐. 이윽고 순식간에 산화된 벽화 위에 금이 죽 가고 가루들이 바닥에 떨어진다. 어쩌면 의미란 것도 이런 벽화와 비슷하지 않을까. 오래도록 그것의 상실에 대해서는 기억하면서도, 정작 무엇인지는 정확히 설명할 수 없으니까. 그것은 모든 것을 송두리째 바꿔 놓지만 정확한 이름은 붙일 수 없는, '도무지 정체를 알 수 없는' 아주 놀라운 무엇이다. 그러니 의미와 의미의 상실을 정면 돌파로 설명하기란 거의 불가능하다. 따라서 이 문제는 우회로를 통해 접근해야 한다. 현재로서는 의미가 어떤 균형이 아닐까 조심스레 짐작해 볼 뿐이다. 순환하는 인간의 삶 속에서 수없이 반복되는, 적응과 실현의 단계 사이의 어떤 균형이 아닐는지. 그러니 의미란 환경에 편입되기 위한 노력과 마침내 주체가 기쁘고 평온한 마음으로 일을 할 수 있게 되는, 어떤 세계의 관조가 가능해진 순간 사이에서 찾아내야 할 그 무엇일지 모른다.

적응 혼자만은 비합리적이고 부조리하다. 자기실현이라는 고결한 결과로 귀착되는 적응만이 오로지 유의미한 의미를 가질 뿐이다. 우리가 지향해야 할 것도 바로 그런 종류의 적응이다.

유용과 섬세

《번아웃》이라는 제목이 딱 들어맞는 한 소설에서 작가 파트리샤 마르텔은 자신이 몇 년 간 공공병원에서 생활하며 겪었던 심신탈진 경험을 이야기로 풀어놓는다. 소설 속에 등장하는 한 젊은 인턴은 밤샘 근무와 현실에 대한 실망을 반복적으로 경험한다. 그녀는 마음속에 아직 커다란 희망을 간직하고 있다. 그러나 종종 현실은 희망보다 더 집요한 법이다. 어느 날 아침, 그녀는 환자들을 진료하던 중간에 한 제약회사 영업 사원의 방문을 받는다. 영업 사원은 그녀에게 최근 개발된 우울증 치료제 '서바이벌 3'의 놀라운 약효를 선전하는데, 특히 신약 개발자가 실험용 쥐에게 우울증을 유도하기 위해 실시한 한 실험에 대해 열심히 설명한다. 그는 가장 결정적인 진보라며 '강제 수영 실험forced swim test'의 예를 소개한다. 이전에는 실험용 쥐에게 우울증을 유발하기 위해 '꼬리 매달기 실험tail suspension test'을 했었다. 그러나 그것은 이번에 도입된 '강제 수영 실험' 만큼 강력한 우울증 효과를 유발하지는 못했다는 것이다.

> 역설적이지만 생쥐의 꼬리를 매달면 생쥐는 묶인 데서 벗어나기 위해 더 기운차게 몸부림을 치더군요. 반면 강제 수영 실험의 경우 생쥐는 어떤 적도 지목할 수가 없답니다! 생쥐는 오로지 자기 자신과만 싸움을 벌여야 하지요. 테스트 결과 강제 수영을 해야 하는 생쥐가 더 쉽게 의욕을 잃고 지치는 걸 발견할 수 있었습니다.[25]

어떤 적도 지목할 수 없다! 그냥 헤엄만 치면 그만이다. 헤엄을 쳐서 살아남거나, 물에 빠져 죽거나, 둘 중 하나뿐이다. 소설 속 여주인공은 강제 수영 실험에 대한 이야기를 듣는 순간 저도 모르게 절규하는 환자들과 임종을 앞둔 환자들 사이에서 매일 같이 사투를 벌이며 생존을 위해 고군분투하는 자신의 모습을 떠올린다. 그녀는 그것이 얼마나 가혹한 실험인지 불현듯 깨닫는다. 스트레스와 고독, 실수할지도 모른다는 두려움. 그러나 젊은 인턴은 그 모든 것들은 뒤로 하고, 언제나 모든 이들을 위해 강인해져야만

---

25 파트리샤 마르텔Patricia Martel, 《번아웃*Burn-out*》, 비아리츠Biarritz, 아틀랑티카Atlantica, 2010년, 80쪽.

하는 것이다. 심지어 어떤 날은 영업 사원까지 다독여야만 한다. 어느 날 영업 사원은 난데없이 심각한 심신 탈진 상태에 빠져서는 자기 덕에 배를 불리는 자들을 향해 한바탕 저주를 퍼붓는다.

결국 그들은 우리 모두가 스스로를 미치광이라고 믿게 만들 거예요! 이 미쳐 날뛰는 세상에서 살아남기 위해서는 약물에 의지해야만 한다고 굳게 믿도록 만들겠죠! 서바이벌, 서바이벌. 네. 이름 한번 기가 막히게 지었죠! 하지만 진정한 삶은 대체 어디에 있는 걸까요? 어디로 사라져 버린 거죠? 선생님은 아시나요? 진정한 삶은 코앞에서 달아난 거라고요. 제 마누라처럼요.[26]

그저 허구의 이야기에 불과한 듯 보이는 등장인물들은 저마다 나름의 고통에 시름하고 있다. 물론 누구보다 고통에 시달리는 것은 환자들이다. 그러나 의사나 간호사의 사정도 별반 다르지 않다. 그들 모두 강제로 며칠 간 햇볕이 잘 드는 해변가로 끌고 가 수면 치료라도 받게 해야 할 판이다. 말하자면 그들도 어느 정도 도움의 손길이 필요한 상태인 것이다. 이쯤에서 어찌 우리가 프로이덴버거를 떠올리지 않을 수 있겠는가. 프로이덴버거는 의사의 지위를 가진 사람으로서 차마 밝히기 어려운 진실을 폭로했다.

26 같은 책, 178쪽.

자신의 병원에서 가장 심한 심신 탈진 증세를 보이는 환자, 가장 기진맥진한 환자는 환자가 아닌 오히려 의사 자신이라는 사실을 용감하게 밝혀낸 것이다. 그나마 중독환자들은 약물에 의존하는 동안은 어떻게든 마음의 평온을 유지할 수 있지 않은가.

사실 번아웃은 본래 타인을 돕는 직종에 종사하는 사람들에게서 잘 나타나는 증상이다. 대표적인 예가 의료진, 학교 교사, 특수교육 교사 등이다. 역사적 사실만 되돌아봐도 처음으로 번아웃 증상을 보인 환자들이 대개 이 직업군에 속한 사람들이었다는 사실을 쉽게 확인해 볼 수 있다.[27] 그러다 차츰 시간이 흐르면서 사무직, 판매직 노동자나 기업의 중역, 공장 노동자들까지도 하나 둘 이 번아웃 행렬에 동참하게 된 것이다.

냉소적 태도는 번아웃 환자가 보이는 가장 흔한 증상이다. 냉소적 태도는 직업별로 각기 독특하게 나타난다. 가령 의사는 환자를 쳐다보며 이런 냉정한 말을 서슴지 않는다. "결국에는 죽음을 피하실 수 없을 겁니다." 그런가 하면 교사는 학생들을 바보 취급하며 더 이상 무엇인가를 열심히 가르치려 하지 않는다. 한편 철학자의 경우에도 언어의 높은 장벽 앞에 낙담하는 것으로 번아

---

27 현 통계 자료를 보아도 번아웃 환자 가운데 대인 서비스 종사자의 비중이 여전히 매우 높게 나타난다. 쉬잔 페테르Suzanne Peters, 파트릭 메스테르Patrick Mesters가 저술한《직무 탈진의 극복*Vaincre l'épuisement professionnel*(파리, 로베르라퐁, 2007년)》141쪽 이하를 참조할 것.

웃의 전조가 시작된다. 가령 그들은 "말만으로는 아무것도 바꿀 수 없다"며 이내 읽고 있던 책을 덮어 버린다.[28] 프로이덴버거도 학생들에게 욕설을 퍼붓고 싶은 마음을 애써 잠재우기 위해 신경안정제와 대마초에 번갈아 의지하며 살아가는 한 교사의 사연을 들려준다. 뿐만 아니라 매일 환자가 죽어 나가는 현실에 진절머리를 내는 간호사, 알코올중독환자에게 자포자기하는 마음으로 인근 술집의 위치를 알려 주는 재활치료센터의 사회복지사에 대해서도 이야기한다. 이들의 냉소적 태도 뒤에 깊은 좌절감과 분노가 자리하고 있음은 아무리 감추려 해도 감출 수가 없는 진실이다. 영국 속담에서는 이처럼 분노로 인해 빚어진 냉소적 태도를 고장 난 대포 부품에 비유한다. 고장 난 부품은 대포와 함께 포병의 면상까지도 함께 날려 버린다는 것이다. 냉소적 태도의 가장 큰 피해자가 실은 자기 자신임을 이보다 더 적절하게 표현한 비유는 아마 찾아보기 힘들 것이다. 냉소적인 사람은 자신이 가진 가장 소중한 것을 파괴함으로써 스스로 무력해진다.

왜 번아웃은 앞서 언급한 직업군에서 유독 많이 나타나는 것일까? 오히려 위의 직업군은 번아웃의 위험과는 거리가 멀다고 흔히 생각되는 직종이 아닌가. 직무 소진이란 으레 믿음의 상실을 의미

28 이 발언에 대해 자세히 알고 싶다면 비트겐슈타인Wittgenstein의 《논리철학논고 *Tractatus*》를 다시 읽어 볼 것.

하는 아케디아(영적 나태)와도 같이 일종의 의미 상실 현상을 동반하기 마련이다. 그러나 어렵지 않게 상상할 수 있듯이 교직이나 의료직은 매우 중요한 가치를 지니는 직업이다. 의미의 죽음이 학교 운동장이나 환자의 침상, 심지어 조산원에서까지 손길을 뻗칠 수 있다는 사실은 실로 당황스러운 현실이 아닐 수 없다. 노동이 곧 타인과 함께하는 작업을 의미한다는 사실을 감안하면, 위와 같은 곳에서 이뤄지는 노동은 분명 값진 의미를 지니는 일들처럼 여겨지기 때문이다. 그러나 때에 따라서는 그것이 오히려 아킬레스건이 되기도 한다. 어떤 의미에서는 바로 그것이 문제의 원인인 것이다. 대체 이유가 뭘까?

첫째, 누군가를 돕는다는 건 다른 말로 타인의 고통을 고스란히 지켜보는 것을 의미한다. 타인의 불완전함과 결점을 견뎌 내야 하는 것이다. 병은 언제나 스트레스를 유발한다. 또 학업 부진도 아이를 엄청난 파국으로 몰 수 있는 중차대한 사안이다. 정신과 전문의 알렉시 뷔르제도 고통 받는 이들을 도우려는 노력을 포기하지 않기 위해선 이따금 그들도 자신의 '본성'을 억제할 필요가 있다고 지적한다.

스트레스 상황에 몰릴 때 본능적으로 동물이 가장 먼저 보이는 행동은 도망을 치거나 혹은 상대를 공격하는 것이다. 누군가와 도움의 관계를 맺고 사는 사람은 온갖 어려움에도 불구하고 결코 그

관계에서 도망을 치거나 상대를 공격할 수가 없다. 아무리 인내하기 힘들더라도 그들에게는 도움의 관계를 지속할 의무가 있기 때문이다.[29]

누군가를 도와야 하는 위치에 있는 자는 동시에 모두 세 가지 싸움을 벌여야 한다. 먼저 자신이 치료를 맡거나 혹은 해방시켜 주려는 이의 문제와 씨름해야 한다. 다음으로 자신의 인성과도 싸워야 한다. 특히 감수성, 역전이[30], 낙담 따위의 감정을 이겨 내야 한다. 마지막으로 이 사회의 압력과도 맞서 싸워야 한다. 오늘날 사회는 관용이나 연민 등을 결코 최고의 이상으로 간주하지 않는 탓이다.

이런 설명을 뒷받침하기 위해, 잠시 프로이트가 남긴 한 유명한 구절을 떠올려 보자. 프로이트에 따르면 세상에는 불가능한 일이 세 가지 있다. 그것은 바로 치료하고, 가르치고, 통치하는 일이다. 특히 앞의 두 가지는 80년 뒤 번아웃 환자가 가장 많이 발견된 직업으로도 확인된다. 정신분석학의 아버지인 프로이트는 1925년 처음으로 이런 주장을 편 데 이어, 1937년 또 다시 '끝이

---

29 알렉시 뷔르제Alexis Burger, '자신을 보호하는 동시에 어떻게 최고의 프로가 될 수 있는가Comment devenir un meilleur professionnel en se protégeant', 〈르페르 소시알*Repère social*〉, 제19호, 2000년 7월. 카트린느 바제Catherine Vasey가 《번아웃 : 진단과 예방*Burn-out : le détecter et le prévenir*》(제네바, 주방스Jouvence, 2009년)에서 인용.

30 countertransference: 내담자의 전이에 대한 분석가의 무의식적 반응. -역주

있는 분석과 끝이 없는 분석'[31]이란 글에서 "무조건 불완전한 성공에 그칠 것이 확실시되는" 직업의 예를 거론하며 똑같은 주장을 반복한다.[32] 사실 이것은 프로이트만의 순수한 창작은 아니다. 비슷한 종류의 불가능성을 웃음 소재로 삼은 독일의 대중문화에서 빌려 온 이야기다. 여기 나오는 세 가지 직업은 공통적인 특징이 있다. 모두 하나같이 인간관계에 영향을 미치고, 인간관계를 통해 타인의 변화를 시도한다는 점이다. 다시 말해 그것은 기술적 · 물리적 활동과 달리, 인간을 상대하는 일종의 소명처럼 간주되는 일이다. 교육 · 치료 · 정치적 관계는 타인의 변화를 시도한다. 그러나 타인은 자신을 변화시키려는 시도를 대개 거부하곤 한다. 혹은 자신을 굳건히 지키기 위해 이러한 시도에 집요하게 저항한다. 칸트도 타인을 행복하게 하려는 시도는 "폭압 중에서도 최고의 폭압"이라고 말하지 않았던가. 그러니 프로이트가 '불완전한' 성공을 운운한 것도 일견 이해할 만하다. 교사나 의료진, 정치가는 회의에 빠지는 순간 절체절명의 근본적 질문에 사로잡힌다. "대체

---

31 프로이트의 마지막 저작. -역주

32 지그문트 프로이트Sigmund Freud, '끝이 있는 분석과 끝이 없는 분석L'Analyse avec fin et l'analyse sans fin', 《성과, 아이디어, 문제*Résultats, idées; probleèmes*》, 제2권, 파리, PUF, 1985년판, 263쪽. 이 주제에 대해 더욱 깊이 성찰하고 싶다면, M. 페인Fain, J. 크르뉘Cournut, E. Enriquez(앙리케), M. Cifali(시팔리)가 공동 저술한 《세 가지 불가능한 직업*Les Trois Métiers impossible*》(파리, 레벨레트르les Belles Lettres, 1987년)이나 혹은 아우구스트 아이크혼August Aïchhorn의 분석을 참조할 것.

무슨 권리로 타인에게 진실을 강요한단 말인가?" 그들은 심지어 이런 의문에 정녕 해답이 존재하는지조차 확신할 수가 없다.

그러나 어쨌든 앞에서 말한 세 가지 직업은 고전적 휴머니즘의 본거지와도 같다. 이 세 가지 직업에는 플라톤과 아리스토텔레스의 이상이 모두 집약돼 있다. 두 철학자는 공정한 도시국가 안에서 살아가는 덕성 있는 신체 건강한 개인을 이상적 인간으로 상상했다. 프로이덴버거에 의해 발견된 최초의 번아웃 환자인 의료진을 비롯해, 프로이트가 불가능하다고 말한 이 세 가지 직업 종사자들은 사실상 20세기 동안 유럽과 그 문화, 인간 존엄성 준수라는 철학의 바탕을 이루어 왔다. 그런 의미에서 다시 한 번 번아웃이란 현 시대의 어려움을 오롯이 비춰 주는 거울과도 같다고 말할 수 있다. 즉 현대 기술사회에서는 시민을 치료하고, 교육하고, 개화시키는 것이 얼마나 어려운 문제인지를 고스란히 보여 주는 징후가 바로 번아웃인 셈이다.

번아웃은 휴머니즘의 고갈을 여실히 보여 준다. 번아웃은 오늘날 두 가지 진보 사이의 극심한 갈등을 상징한다. 포스트모더니티는 여전히 발전 이데올로기의 깊은 영향권 아래 있지만, 발전의 성격을 놓고는 각기 의견이 엇갈린다. 비록 언제나 만족스러운 성과에 이를 수 있었던 것은 아니지만, 포스트모더니티는 언제나 두 가지 종류의 '진보'를 조화시키기 위해 부단히 노력해 왔다. 그것이 이른바 '유용한 진보progrès utileà'와 '섬세한 진보progrès subtile'라는 것이다. 메일리스 드 케랑갈[33]이 쓴 소설《다리의 탄생》에도 두 진보 사이의 충돌을 극적으로 보여 주는 이미지가 등장한다. 작가는 이 소설을 통해 한 거대한 라틴 아메리카 국가의 광활한 양안 지역이 어떻게 코카라는 소도시의 일개 시장이 품은 작은 비전에 의해 급격한 변화를 겪게 되는지 이야기한다. 시장은 두바이를 방문하고 돌아온 뒤, 별안간 "느리고, 낡고, 힘겹게 숨을 헐떡이는 것들과 결별하려는 희망"[34]을 품게 된다. 그리고 그러한 비전의 일환으로 두 개의 높다란 마천루를 이어 줄 총연장 900m에 달하는 거대한 대교를 건설하기로 결정한다. 그는 대교 건설에 모두 2백만 톤의 시멘트와 8만 톤의 철강, 12만9천 킬로미터에 달하는 케이블을 투입할 계획을 세운다.

> 두 풍경을 연결하는 것, 그것이 바로 대업이다. 그것이 바로 역사다. 전기를 이용한 소결[35] 작업, 조화, 원활한 소통, 관계 구축, 그것이 앞으로 우리가 해야 할 일, 우리가 해야 할 공사다.[36]

케랑갈의 소설은 유용성을 찬양하는 시이자, '브릿지맨'[37]을 노

---

33 Maylis de Kerangal: 프랑스의 소설가. -역주

34 메일리스 드 케랑갈, 《다리의 탄생*La naissance d'un pont*》, 파리, 베르티칼Verticales, 2010년, 39쪽.

35 燒結: 분체를 가열하였을 때 분체 입자 간에 결합이 일어나 응고하는 현상. -역주

36 같은 책, 63쪽.

래하는 서사시다. 바야흐로 강을 준설하고, 크레인을 조작하고, 시멘트를 혼합하고, 교량 설계자가 수천 시간에 걸쳐 계산한 결과를 실물로 구현해 내기 위해 수많은 브릿지맨들이 전국 방방곡곡에서 벌떼처럼 몰려든다. 현대 인류의 노동을 나타내는 이 은유는 인류를 엄청난 모습으로 묘사한다. 요컨대 인류는 미래를 향해 거대한 다리를 놓고 있는 것이다.

그러나 케랑갈의 소설은 실용성이 실현되는 모습만 보여 주는 데 그치지 않는다. 시멘트와 철강으로 쌓아 올린 거대한 구조물 곁에 작고 보잘것없는 인간 군상들의 이야기도 함께 펼쳐 보인다. 교량은 그들 각자의 존재 이유를 이루고 있다. 교량의 직접적 이용자가 될 국민, 교량 건설에 회의적인 엔지니어와 노동자, 그 가족, 그리고 토착민, 교량 건설로 이익을 챙기려는 시장. 소설 속에서는 흔해 빠진 인간 희극이 펼쳐진다. 사랑, 증오, 유년 시절, 시기심과 같은 영원불멸한 보편적 주제가 이어진다. 확고한 원칙을 바탕으로 매끈한 형상으로 건설 중인 거대한 교량과 비교하면 그런 것들은 너무도 식상한 소재에 불과할지 모른다. 그러나 그런 것이 바로 인류다. 따스한 온기와 불분명함을 특징으로 하는 인류. 그리고 인류도 역시 진보한다. 그러나 그것은 교량과는 다른 논리에 입각한 진보다. 요컨대 섬세함의 진보다.

---

37 교량 공사장에서 일하는 사람. -역주

교량의 모습으로 구현된 유용한 진보, 과학이나 기술, 구체적인 문화 속에서 널리 찾아볼 수 있는 유용한 진보는 자본화capitali-sation를 통해 작동한다. 유용한 진보의 경우에는 후천적으로 얻은 새로운 지식이 (그것이 발명과 발견 중 그 무엇과 관련되든 간에 모두) 미래 혁신을 위한 지렛대로 기능한다. 인공물artefact은 무한 증대되는 자본을 형성한다. 인류는 그러한 자본을 이용해 지식과 안락함을 확대한다. 기술 진보는 기하급수적이고 다선적인 성격을 띤다. 기술 진보는 이른바 '더 많이plus'라는 메커니즘에 의거하기 때문이다. 눈덩이가 불어나듯, '더 많이'의 논리는 '계속해서 더 많이toujours plus'라는 또 다른 논리를 잉태한다. 컴퓨터는 끊임없이 복잡해지고 소형화된다. 왜냐하면 차세대 IT 신기술은 언제나 기존 기술이 갖고 있던 우수한 특성들을 유산처럼 물려받기 때문이다. 물론 이 다선적인 진화 과정에서는 잊힌 존재들이 생겨난다. 그러나 이런 종류의 진화가 추구하는 궁극적 목적, 즉 더 높은 수익을 창출할 수 있는 존재를 만들기 위해서는 어쩔 수 없이 소외자들의 희생이 필요하다.

유용한 진보 외에도 '섬세한' 차원의 발전이란 게 존재한다. 섬세한 진보의 법칙은 기하학이 아닌 섬세함의 정신을 따른다. 적용 분야도 물질이 아닌 인간이다. 사실 진보는 과학이나 기술의 영역에만 국한되지 않는다. 물질적 영역만이 진보의 대상이 될 수 있다고 인정해 버린 것은 휴머니즘이 범한 가장 결정적인 실수였다. 일부 지식인들은 진보의 문명을 비판하기 위해서 의도적으로 물질적 영역을 진보의 대상에서 제외했다. 그들은 절대 진보에 대한 환상을 품고 미래의 길을 개척해 나가지 않는 자들, 말하자면 모든 미망에서 깨어난 자들의 태도를 칭송했다. 그러나 그런 태도는 오히려 유용한 진보의 지지자들 앞에 길만 훤히 터 주는 결과를 낳고 말았다. 유용한 진보를 표방하는 자들은 그 넓은 대로에서 홀로 인류를 '최선' 속에 던져 넣었고, 또 홀로 그 '최선'의 본질이 무엇인지 규정하게 된다. 그러나 이제는 다른 방법이 필요하다. 더 이상 유용한 진보에 대해 아무것도 하지 않은 채 평화적 공존만 도모하는 무사안일한 태도로 대응해서는 안 된다. 인류를 개선시키기 위한 절실한 시도를 비웃지 말아야 한다. 대체 인류를 개선하는 길 말고 또 어떤 길이 있단 말인가? 사실상 수렵 · 채집의 시대로 다시 돌아간다는 건 결코 바람직한 길이 아니다. 오히려 유용한 진보와 더불어 '섬세한 진보'의 가치를 새로이 재조명하고 그를 옹호하는 편이 훨씬 더 합리적이다. 섬세한 진보는 인간과 관련된 진보다. 인간을 교육하는 문제, 다시 말해 인간이 어떻게 인생을 살아가고, 스스로를 돌보고, 신경증을 예방하고, 즐거움을 상상할 수 있는지 따위의 방법과 관련되어 있다. 그런 일들도 모두 진보의 영역에 해당한다. 비록 유용한 진보만큼 쉽게 손에 잡히는 관념은 아닐지라도 말이다.

섬세한 진보는 유용한 진보가 누리는 견고함을 누리지 못한다. 유용한 진보는 기하급수적으로 증대되는 자본에 기초한다. 그러나 자본화를 통해 작동되는 유용한 진보와 달리, 섬세한 진보는 매번 새로운 입문 과정initiation을 거쳐야만 한다. 왜냐하면 섬세한 진보는 언제나 모든 것을 처음부터 다시 시작하도록 요구하기 때문이다. 섬세한 진보는 수많은 시작들로 점철된 진보다. 케랑갈의 소설만 봐도, 등장인물들은 매번 나름대로 살아가는 법을 혼자서 다시 터득해야만 하지 않는가. 인간적인 영역과 관련된 지식을 획득하는 데는 오랜 시간이 걸린다. 세상에 경험 없이 얻을 수 있는 지식은 아무것도 없기 때문이다. 우리는 충분한 시간을 들이지 않고는 결코 인간의 섬세함을 발전시킬 수 없다. 다시 말해 인간이 세계와 맺고 있는 관계가 열정적이면서도 동시에 평온한 균형 상태에 이르도록 만들 수가 없다. 교육은 인내의 과실이다. 교육은 순간적으로 발휘되는 번득이는 재능과 반대되는 말이다. 유용한 진보와 섬세한 진보는 경쟁 관계에 놓여 있다. 이 두 논리의 충돌을 함축적으로 보여 주는 현대적 이미지가 하나 있다. 교사의 뇌 속에 들어 있는 콘텐츠를 학생의 뇌에 곧장 다운로드하는 모습이다. 그러나 그런 건 결코 현실에서는 일어날 수가 없는 일이다. 해법은 결코 기술적인 데 있지 않다. 아니, 어쩌면 '해법'이란 것 자체가 아예 존재하지 않는지도 모른다. 왜냐하면 '문제'란 것이 이미 존재하지 않기 때문이다. 그저 수 세대를 관통해 온 삶만이 존재할 뿐이다. 삶은 모든 휴머니즘의 재료다.

번아웃이 개입하는 것은 바로 이 지점이다. 번아웃은 두 가지 종류의 진보 사이의 충돌을 보여 주는 징후다. 취약하기 그지없는 인간적 영역은 기술 · 경제의 위세에 떠밀려 어마어마한 압박에 시달리고 있다. 인간적인 영역은 멋진 교량이나 우수한 설비를 완비한 공장처럼 가시적인 성과를 보여 주지 못한다. 당장에 이윤을 생산하는 것도 아니고, 훗날 막대한 수익을 기대하게 만드는 것도 아니다. 오히려 섬세함은 언제나 무의 경지와 닿을락 말락 접해 있다. 섬세함은 양극단, 다시 말해 시작과 끝을 마주하고 있다. 젊은 엄마는 허리를 굽혀 처음으로 무슨 말인가를 옹알거리는 아기를 내려다본다. 교사는 정신 산만한 학생들에게 지식을 전달한다. 학생들은 자신의 존재는 먼지처럼 보이지도 않을 저 거대한 세계의 역사 속을 헤매고 있다. 그런가 하면 의사는 환자에게 만물은 언제나 끝이 나는 법이라는 사실을 힘겹게 설명해야 한다. 그는 질병에 대해 설명하고, 생명의 순환성에 대해 이야기해야 한다. 사실 이 직업군의 공통점은 바로 누군가 인생을 잘 살아갈 수 있게 곁에서 도와준다는 데 있다. 이 직업 종사자들은 섬세한 진보를 이뤄 나가는 누군가의 인생 여정을 곁에서 함께하고 있다. 인간 조건이 지닌 비극성, 즉 무지, 죽음, 망각, 어리석음 따위와 마주하는 것을 결코 마다하지 않은 채.

그러나 유용한 진보의 승리에 취한 사회에서는 이처럼 매번 위태롭게 새로운 시작들을 대면해야 하는 것을 너무도 성가시고 시대에 뒤떨어진 일처럼 간주한다. 유용한 진보는 무를 알지 못한다. 유용한 진보는 삶의 순환성에 무지하다. 존재의 기원과 같은 미묘한 문제와는 결코 대면할 일이 없다. 유용한 진보는 기하급수적인 발전 속에 번성한다. 그러나 유용한 진보는 분명 이 사회에 악영향을 미친다. 왜냐하면 유용한 진보를 찬양하는 이데올로기와 그 지지자들은 완곡하게 말해 종종 인간적인 것들을 아주 피곤하게 여기기 때문이다. 이러한 사실은 새로운 종류의 천년지복설을 신봉하는 포스트휴머니즘주의자들[38]이 개설한 인터넷 사이트만 봐도 쉽게 확인된다. 그들에 따르면 언젠가는 죽음이란 운명을 피할 수 없고, 우연의 산물인 존재들을 잉태해야 하며, 새로운 세대가 시작될 때마다 매번 문법과 정서법을 새로 익혀야 하는 것은 모두 인간이라는 이 노회한 종족만이 겪는, 조상 대대로 내려오는 애매모호한 활동이다. 그래서 포스트휴머니즘주의자들은 이런 현실을 하루빨리 개혁해야 한다고 생각한다. 그들이 인간 종족을 개량하려는 것은 인간을 아주 구제 불능의 존재로 여기기 때문이다. 정밀 기술이나 컴퓨터 등에 더 익숙한 그들은 인간이 하는 수많은 삶의 시도들을 마치 아마추어의 작업인 양 인식한다. 따라서 그들은 이 모든 것을 개선해야 한다고 생각한다. 그들은

---

38 포스트휴머니즘이란 과학과 기술을 이용해 사람의 정신적, 육체적 성질과 능력을 개선하려는 지적, 문화적 운동을 말한다. -역주

머릿속으로 수많은 환상을 만들어 낸다. 가령 제멋대로 살기를 고집하는 아이들에게 문법을 가르쳐야 하는, 번아웃 직전에 다다른 젊은 교사를 지켜보면서, 언젠가 통사론의 법칙을 인간의 두뇌에 바로 포맷할 날을 상상한다. 컴퓨터를 통하면 더 쉽게 문법 지식을 가르칠 수 있다면서. 또한 어두컴컴한 방에서 조용히 눈을 감는 임종 환자들을 바라보면서는 모든 존재가 피었다 지기를 반복하는 이 지난한 여행, 영원히 되풀이되는 새로운 시작에 종지부를 찍어야 할 때라고 말한다. 그래서 그들은 몽상에 빠진다. 그런 의미에서 그들은 과거 내세의 존재를 이야기한 성직자들과 별만 다르지 않다. 그런데 그들의 환상은 아예 현 시대의 구호가 되어 버리다시피 한 어떤 법칙을 따르고 있다. 그 법칙이란 바로 기술과학 제국의 영토를 넓히고, 어림 근사치에 불과한 인간을 더욱 합리적인 존재로 개조하라는 것이다.[39]

그러나 타인을 돕는 직업에 종사하는 사람들은 쉽게 환상에 속

---

39 니콜라우스 가이어할터Nikolaus Geyrhalter가 제작한 다큐멘터리 영화 〈다뉴브 병원*Donauspital*〉(2012년)은 인간을 바라보는 형이상학적 초조함을 잘 보여 주고 있다. 그는 유럽에서 가장 큰 병원인 비엔나의 다뉴브병원을 카메라에 담으면서, 로봇, 하이테크 스캐너, 자동 의료 기기를 일부 도입한 수술실 등의 미래지향적 모습을 대중에게 보여 준다. 그의 카메라는 의료 기기들의 기술과학적 효율성과 그 장치들을 이용하는 인간의 허약함(병들어 침상에 누운 인간들)이 얼마나 극적인 대조를 이루는지 보여 주며 역설적인 현실을 꼬집는다. 더욱이 그는 사람들에게는 발언할 기회를 주지 않으며, 유용성과 섬세함과의 불균형을 더욱 도드라져 보이게 한다. 그러나 일단 다시 인간이 발언권을 얻으면 힘의 균형 상태가 뒤집어지고, 다시 섬세함이 창의의 장으로 기능한다.

아 넘어가지 않는다. 그들은 자신들이 얼마나 어려운 분야에 투신 중인지를 너무도 잘 안다. 그들은 삶의 순환성에서 비롯되는 이 시작의 영역이 현대 인류에게서 가장 심하게 억압된 부분이라는 사실을 결코 모르지 않는다. 진정으로 적법한 휴머니즘의 수호자인 그들은 심한 정신적 압박에 시달린다. 사실상 인간의 조건을 바라보는 형이상학적인 초조함이 날로 심화되고 있기 때문이다. 게다가 세상은 인류의 진정한 진보에 참여하지 않는다며 그들에게 가까스로 입에 풀칠이나 할 수 있을 만한 형편없는 보수를 손에 쥐어 주곤 한다. 돈은 언제나 유용한 진보의 궤도만을 돌고 돌 뿐이다. 온갖 자본주의들이 어깨동무를 하고 서로를 지원한다. 더욱이 이 도구적 논리는 타인을 돕는 노동에 종사하는 자들에게 기본적인 업무 이외에 행정적인 일까지 떠맡긴다. 그런가 하면, 수익지상주의를 표방하며 그들의 서비스에 대해 평가 작업을 벌이려 한다. 섬세함은 어느새 식민화되었다. 섬세함을 지지하는 자들은 종종 초췌한 얼굴이 되어 버린다.

현대 인류에게 있어 기술 협약은 매우 중요한 주제로 다뤄지게 될 것이다. 기술 협약은 섬세한 진보와 유용한 진보 사이에 억지로나마 균형을 잡아 줄 것이기 때문이다. 섬세한 진보는 허약하지만, 유용한 진보는 섬세한 진보 없이는 결코 혼자서 아무런 의미를 지니지 못한다. 번아웃으로 증상화되어 나타난 휴머니즘의 고갈은 결국 두 가지 진보 사이에 균형이 깨졌음을 의미한다. 만일 앞으로도 계속 두 진보에 대해 서로 심한 차등을 둔다면, 종국에는 기술 · 경제적 논리가 인간보다 더 우선시되는 날이 찾아오고야 말 것이다. 정작 유용한 진보를 처음으로 일궈 낸 것도, 또 앞으로 계속 일궈 나갈 것도 바로 인간인데 말이다. 18세기에는 사회계약설이 등장해 내적 폭발이라는 내인성 위험으로부터 사회를 보호해 주었다. 그와 마찬가지로 오늘날에도 잠재적인 자기 파멸로부터 인류를 보호하기 위해 새로운 종류의 협약이 시급한 상황이다.

이런 종류의 협약을 체결할 때에만 비로소 일부 대인 서비스 종사자들이 겪고 있는 이 좌절 전염병의 확산을 막을 수가 있을 것이다. 물론 프로이트의 말대로 치료하고 교육하고 통치하는 일은 '불가능한' 일이 맞다. 그렇기는 해도 이런 말을 덧붙이고 싶다. 그럼에도 그러한 어려움이 바로 인간의 위대함과 자유를 이루는 밑바탕이라고. 그러니 그런 불가능성을 무조건 거부하지 말라. 대신 그것을 창의와 쾌락의 원천으로 삼으라. 왜냐하면 가장 소중한 것은 바로 그것이기 때문이다. 인류는 유약함과 강함, 섬세함과 유용함 사이의 그 기묘한 균형을 오래도록 유지하기 위해 이제 인류를 인류 저 자신으로부터 보호해야만 할 때다.

인정받은 자와 인정받지 못한 자

다국적기업의 중역들은 매일 아침 회의장에서 어떤 생각을 하고 있을까? 때로는 현재 진행 중인 사업 계획에 대해 생각할 수도 있을 테고, 또 어떤 날은 주식 배당이나 구조 조정, 감원 문제 등을 떠올려 볼 수도 있을 것이다. 그런가하면 다른 회의 참석자가 매고 온 넥타이, 사장님의 수심 가득한 표정, 동료 여직원의 신경질적인 태도와 같은 오만 가지 잡생각에 빠져 있을 수도 있다. 또 가능한 경우라면, 회의 참석자들의 머릿속은 온전히 직업적인 영역을 훌쩍 뛰어넘어 온갖 사적인 문제들을 방랑하고 있을지도 모른다. 가령 각종 가정 문제나 여행을 떠나고 싶다는 욕망, 혹은 온갖 성적 환상이 머릿속을 어지럽힐 수도 있을 것이다. 회의 시간이란 참으로 기이한 시간이다. 잠시 협력이라는 명분을 위해 개인의 활동을 중단하였음에도 정작 재판과 소송, 피비린내 나는 복수극, 야심의 경쟁 따위를 피할 수 없으니 말이다. 어떤 이들은 서로 앞에 나서고 싶어 안달하기도 하지만, 또 어떤 이들은 제발 자신에게까지 발언권이 넘어오지 않기를 내심 기도하기도 한다. 회의 시간이 되면 참석자들은 저마다 자신의 가장 좋은 면을 보여 주려고 애쓴다. 그러나 그런 근사한 얼굴의 이면에는, 저 수많은 어두컴컴한 정신의 동굴 속에는, 온갖 불만에 찬 목소리들이 웅얼대고 있다.

로랑 캥트로[40]는 소설 《극대 이윤》에서 경영위원회에 소집된 임원 11명의 머릿속을 들여다보기 위해 가장 내밀하고도 침입적인 문학 기법을 활용한다. 작가는 내적 독백에 기대어 임원들이 각자 아무런 검열 없이 자유롭게 떠들어 대는 사적 이야기 속으로 틈입한다. 캥트로에 따르면 단단한 자아의 성벽 뒤에 감춰진 존재는 우리가 생각하는 것만큼 아름답거나 교양이 넘치지 않는다. 어떤 이들은 너무 짐승 같은 본능에 충실한가 하면, 또 어떤 이들은 너무도 냉소적이기만 하다. 남몰래 눈물짓는 이가 있는가 하면, 공포에 떨며 고통으로 시름하는 이들도 있다. 한마디로 만인 대 만인의 투쟁이 벌어지고 있다. 깊은 좌절감 속에서 신랄한 비판이 스멀스멀 기어 올라온다. 그러나 그것은 언제나 가면을 둘러쓴 말로만 표현될 뿐이다. 작가가 책에서 보여 주는 근면한 인류는 천박하고, 탐욕적이고, 저열하다. 우리는 그동안 인류가 진보의 최

40 Laurent Quintreau: 프랑스의 소설가. -역주

첨단에 서 있다고 생각해 왔다. 그러나 인간적인 차원에서 오히려 인류는 후진적이다.

책 내용만 놓고 보면 참으로 걱정스러운 현실이 아닐 수 없다. 물론 진짜 현실은 이와는 조금 다를 테지만 말이다. (물론 더 나쁜지 좋은지는 상황에 따라 다를 것이다.) 어쨌거나 작가 캥트로는 등장인물들이 한 명씩 돌아가며 하는 내적 독백을 통해 회의장에 모인 사람들의 내면 위에 드리워진 비밀의 베일을 한 꺼풀씩 벗겨 낸다. 차마 말할 수 없는 비밀스러운 속내, 잠재적 욕망, 비정상적인 잔혹함, 두려움, 위선 따위가 그들의 내면을 뒤흔들고 있다. 등장인물들이 탁자 주위에 함께 모인 것은 결코 서로에게 호감이 있어서가 아니다. 어디까지나 함께 일하는 동료이기 때문이다. 이 책은 우리 앞에 인간의 모든 본성을 속속들이 까발린다. 그러나 무엇보다도 이 책을 한 편의 노동 문학으로 읽는다면, 모든 인간이 개별적으로 다양하게 표출하고 있는 어떤 억압된 욕망과도 마주할 수 있다. 그것은 바로 인정에 대한 욕구다.

사실 인정에 대한 갈증은 많은 현대인의 가장 공통적인 욕망처럼 보인다. 여기 나오는 극 중 인물들도 대부분 인정에 목말라 있다. 가령 신기술에 해박한 한 신세대 임원은 소설 속에서 이렇게 중얼거린다. "나는 아직 마흔 살도 안 됐어. 여기 모인 사람 중에 가장 젊다고. 나는 한눈에 번개 같은 속도로 상황을 꿰뚫어 볼 줄 알지. 단연 군계일학이라고……." 그런가하면 회사에서 쫓겨날

날이 멀지 않은 한 인사과 임원은 이렇게 자조 섞인 말을 내뱉는다. "이제 조만간 낡은 걸레짝처럼 버려질 테지. 이렇게나 완벽하고, 근면한 사람이. 나는 항상 회사 일이라면 물불 안 가리고 온몸을 내던졌어. 회사의 이익을 위해서라면 온몸이 부서져라 일했다고. 장시간 노동도 마다한 적이 없이." 한편 혼자 힘으로도 현실을 잘 통제할 수 있다고 믿는 한 여성 임원은 이렇게 말한다. "나는 두렵지 않아. 두렵지 않다고. 주식도 투자 종목을 바꿨더니 이익이 나고 있잖아. 이제 심장이 벌렁거리는 증상도 없어. 그러고 보니 그 신경안정제 정말 효과가 있네." 또 이직을 고민 중인 한 계약직 임원은 이렇게 말한다. "난 저들처럼 까칠하게 굴지는 않을 거야. 이번이 두 번째 직장인데 분위기는 모두 엇비슷하다고. 직급별로 모든 직원이 고통스러워하고 서로에게 깊은 원한을 품고 있지. 이제 다시 새로운 길을 찾아나서야 할 때가 온 것 같군. 그래, 그래. 방향을 틀어야 할 때라고. 하지만 대체 어디로 가야 하지……."[41] 소설 속에서 등장인물들은 제각기 인정받기 위해 각자 나름의 전술을 펴고 있다. 사실 인정이란 월급봉투와 더불어 노동자가 가장 받고 싶어 하는 노동의 대가 중 하나다.

대개 번아웃 환자들에게서는 인정을 받지 못하는 데 대한 불만

---

41 로랑 캥트로, 《극대 이윤*Marge brute*》, 파리, 드노엘Denoël, 2006년, 65쪽, 98쪽, 15쪽, 107쪽.

이 자주 포착된다. 대체 인정이 무엇이기에 그러는 걸까? 인정이란 어떤 의미를 이면에 감추고 있는 것일까? 인정받고 싶다는 마음을 품을 때 실제로 우리가 추구하는 것은 무엇일까? 인정은 우리가 노동을 제공하고 받는 상징적인 대가에 해당한다. 먼저 인정은 일종의 '조서'라고 크리스토프 드주르[42]는 말한다. 해당 주체가 현 노동 시스템에 큰 보탬이 되었으며, 그의 참여가 없었다면 결코 과제를 온전히 수행하지 못했을 것이라는 일종의 자백서와도 비슷하다는 것이다. 다른 한편으로 인정은 누군가의 기여에 '감사'하는 의미를 갖기도 한다. 그러나 그것은 어떤 특별한 행위에 대한 감사가 아니다. 좀 더 근본적인 차원의 감사다. 일테면 누군가 자신의 인생을 헌신해서 타인을 위해 일해 준 것을 칭송하는 행위다. 생각해 보면, 비가 오나 눈이 오나 조직과 기업을 위해 성심성의껏 일한다는 건 보통 일이 아니다. 철학적으로는 자기 헌신don(증여)이자, 자신에게 가장 소중한 부분인 자신의 시간을 헌납하는 행위다. 일단 자신의 시간을 다 써 버리고 나면 그에게는 남는 것이 아무것도 없다. 타인에게 자신의 시간을 헌납한다는 건 자신의 가장 내밀한 사적 자본을 탕진하는 것과 비슷하다. 시간이라는 자본이 없다면 사실상 다른 모든 재화는 아무짝에도 쓸모없어진다. 이제는 사람들이 왜 그토록 감사의 의미가 담긴 인정을 받고 싶어

42 크리스토프 드주르, 《살아 있는 노동. 2. 노동과 해방》, 위의 책, 104쪽.

열망하는지 이해할 수 있을 것이다. 자기 헌신이라는 형이상학적 인 차원의 행위에 가장 합당한 대가는 오로지 상징적인 차원의 대가뿐인 것이다. 진심 어린 마음에서 우러나온 '감사'만이 타인에게 그렇게나 대량으로 자신의 시간을 마구잡이로 퍼 준 행위가 결코 아무나 할 수 있는 평범한 일은 아니었음을 확인해 줄 수 있다.[43] 어떤 필요에 의해 억지로 자신의 이기심을 억제한 인간은 자신의 희생을 타인이 조금이라도 알아주기를 바란다. 누군가가 자신의 희생을 잊지 않고 기억한다는 사실을 확인받고 싶어 한다. 그 어마어마한 인정에 대한 갈증은 바로 그런 이유에서 나타난다. 그리고 인정에 대한 갈증이 잘 해소되지 않으면 그것은 깊은 원한으로까지 확대된다. 인정에 대한 갈증은 직무 소진을 일으키는 주요 요소가 된다.

그러나 현실에서 인정이 이처럼 형이상학적인 차원을 띠는 경우는 극히 드물다. 대개 인정은 평가의 형태를 띠고 나타난다. 가령 수행 과제의 유용성을 평가하는 동시에 성과물의 우수성을 치켜세우는 미적 평가로 표현된다. 이 경우 인정은 현실에 단단히 밀착

---

43 인정을 증여don와 반대급부로의 증여contre-don로 해석하는 문제에 대해 좀 더 자세히 알고 싶다면 《인정의 추구. 새로운 총체적 사회 현상*La quête de reconnaissance. Nouveau phénomène social total*》(파리, 라데쿠베르트La Découverte, 2007년)에 실린 알랭 카이에Alain Caillé의 글 '인정에 관하여Sur la reconnaissance'를 참조할 것. "인정을 추구하는 인간에 관한 이론은 증여론, 즉 주고, 받고, 되돌려 주는 패턴을 따르는 인간에 관한 이론과 매우 흡사할 가능성이 높다. 사실상 인정에 관한 사회학 이론은 필연적으로 반공리주의적일 수밖에 없다."

된다. 처음에는 구체적인 성과물에 대한 인정처럼 보이지만 결국은 그러한 성과물을 이룩한 장본인도 함께 인정해 주는 격이 된다. 가령 요리사에게는 요리가 맛있다고 칭찬해 주고, 전기 기사에게는 전기 배선이 잘 됐다고 치켜세워 주며, 연설가에게는 연설문의 구성이 훌륭하다고 찬사를 보낸다. 더욱이 동종 업계에서 일하는 동료가 해 주는 평가라면 한층 더 중요한 의미를 갖는다. 누구보다도 해당 과업의 어려움을 잘 아는 사람이 내리는 평가이기 때문이다. 가령 의료 지식이 없는 일반인에게 붕대를 감는 일은 굉장히 사소한 것처럼 느껴질지도 모른다. 그러나 간호사에게 있어서 붕대 감기는 엄연한 재능의 일종이다. 환자에게 최대한 불편을 주지 않고 붕대를 감을 수 있어야 하기 때문이다. 인정의 표현인 미적 평가는 평가 대상이 '아름다운 작업belle oeuvre'임을 유난히 강조한다. 본래 '아름다운 작업'이란 예술 작업에 대해 말할 때 쓰는 개념이었다. 그러나 지금은 최첨단 기술을 평가할 때도 사용된다. 가령 IT 분야에서는 코드 라인의 "얼굴이 예쁘다"라는 표현을 쓰기도 하고, 항공학에서도 선체의 형태를 일컬어 "완벽한 몸매"라는 비유적 표현을 쓰기도 한다.

한나 아렌트는 노동travail과 작업oeuvre을 이분화하고 서열화하는 바람에 그만 무의미한 귀족주의적 행태를 범했다는 오점을 남기고 말았다. 가령 그녀는 노동이란 반복적이고 별 의미가 없는 한낱 기능적 행위에 지나지 않는다고 본 반면, 작업은 자아의 표현이자 창작자의 숙명을 실현하는 행위라고 이해했다. 그녀가 전제한 주장을 감안하면 그녀는 노동, 특히 실질적 노동의 가치는 과소평가하고, 작업, 그 가운데서도 특히 예술과 문학 작업은 예찬했을 것이라는 사실을 어렵지 않게 짐작해 볼 수 있다. 그러나 그녀는 출발 명제부터가 이미 틀렸다. 그녀의 견해는 이데올로기적 측면에서 너무 지적인 문화, 한마디로 너무 협소한 문화만을 바탕으로 한다. 사실 아름다운 작업이란 어느 영역에나 존재할 수 있다. 세상에는 삼류 작가가 소설을 끼적이는 것보다 훨씬 더 예술적으로 나무를 다듬을 줄 아는 조경사가 존재한다. 정말 중요한 것은 자기 헌신의 수준이다.

크리스토프 드주르는 인정의 영향력을 아주 인상 깊은 말로 설명했다. 그에 따르면 인정이란 고통도 능히 즐거움으로 바꾸어 줄 수 있는 무엇이다.[44] 사실 인간의 직업 활동은 노고와 노역, 피로를 동반하기 마련이다. 그러나 그것으로써 모든 것이 끝나는 것은 아니다. 인간의 직업은 변형을 필요로 한다. 인정은 그들의 노력이 결코 헛되지 않았음을 알아봐 주고 그들이 더 나은 것을 성취했음을 인정해 줌으로써 비로소 그들이 겪는 어려움에 의미를 부여해 준다. 그러나 그것은 고통에 에로티시즘을 부여하는 마조히즘과는 다르다. 인정은 결코 고통의 차원으로만 끝나지 않는

---

44 크리스토프 드주르, 《살아 있는 노동. 2. 노동과 해방》, 위의 책, 107쪽.

다. 오히려 인정은 그와는 정반대의 상태, 즉 고통을 쾌락으로 바꾸어 놓는다. 그것은 의미의 생성이라는 매우 강력한 작용이다. 기대 수준에 걸맞은 성과를 거두기만 한다면, 긴장감이나 근심도 중요한 의미를 획득할 수 있는 것이다. 말하자면 그 모든 것이 더 큰 기쁨을 누리기 위해 어쩔 수 없이 넘어야 할 장애물에 불과했다는 인식이 싹트는 것이다. 위험을 무릅쓰지 않은 승리는 영광 없는 승리에 불과하다. 심지어 드주르는 정신분석학적 차원에서 이 개념을 프로이트가 말한 승화[45]에까지 비유한다. 왜냐하면 두 경우 모두 인간의 충동이 사회적으로 높은 가치를 인정받는 활동에 아주 훌륭하게 투입되고 있기 때문이다.

인정의 결핍이 주요 원인이 되어 발생하는 번아웃의 경우, 고통이 즐거움으로 변환되는 과정이 제대로 작동하지 않는다.[46] 주체

---

45 성적인 충동이 원래의 목적이 아닌 다른 목적으로 전향되는, 그럼으로써 성적인 충동의 주체가 스스로 사회적이거나 종교적인, 혹은 도덕적 규범들에 순응하는 과정을 의미한다.-역주

46 드주르: "인정이 결핍되면 의욕이 꺾이고, 각종 질병이 발생할 수 있다. 가령 우울증, 정신적 혼란, 편집증, 법의학적 행위, 다시 말해 개인의 병적 행동이 발생할 수 있다."('노동의 정신분석과 심리역학: 인정의 이중성Psychanalyse et psychodynamique du travail: ambiguïté de la reconnaissance', 알랭 카이에(엮은이), 《인정의 추구. 새로운 총체적 사회 현상*La quête de reconnaissance. Nouveau phénomène social total*》, 앞의 책, 64쪽). 한편 이 문제에 대해서는 마리 프제가 남긴 인상적인 '상담 일지', 《그들이 모두 죽은 것은 아니지만, 그들은 모두 상처받았다*Ils ne mouraient pas tous mais tous était frappés*》(파리, 플라마리옹, 2010년)와 파스칼 몰리니에Pascale Molinier가 쓴 《노동의 심리적 쟁점*Les Enjeux psychiques du travail*》(파리, 파이요, 2006년)을 참조할 것. 특히 후자의 경우 가사 노동과 같은 눈에 띠지 않는 활동에 대한 부문을 주목할 것. 사실상 이런 종류의 활동은 눈에 잘 띠지 않기 때문에 더더욱 인정을 못 받는 경향이 있다.

는 늘 피로에 시달리지만 그런 피로를 감내해야 할 이유를 찾아낼 수가 없다. 급기야 의미마저 상실하는 지경에 이른다. 그러면 주체는 이중의 탈진에 빠져든다. 먼저 노동하는 데 지치고, 또 다음으로 노동이 헛수고로 끝나는 데 지치는 것이다. 그렇게 되는 원인은 매우 다양하다. 가령 정신 내적[47] 원인을 꼽을 수 있다. 간혹 어떤 이들은 자신에게 너무도 엄격하고 인색한 나머지 좀처럼 즐거움을 향유하지 못한다. 그런 이들은 도무지 고통의 영역을 빠져나와 즐거움의 영역으로 넘어갈 줄을 모른다. 그들에게는 어느새 노동이 고역이 된다. 아무리 노동으로 얻을 수 있는 긍정적인 대가에 대해 이야기를 해 봐야 그들에게는 '소귀에 경 읽기'로만 들린다. 그들에게 노동은 언제나 고통으로만 인식된다.

인정의 결핍은 흔히 상급자가 인정의 요구에 무감하기 때문에 발생한다. 어떤 상급자는 가치를 인정받고 싶어 하는 인간의 마음을 매우 쓸모없고 어리석다고 치부한다. 그들은 인정의 요구를 가차 없이 묵살해 버린다. 그들은 타인의 노동에 대해 가치를 인정해 주지 않는다. 그러면서 노동의 중요한 요소인 협력의 논리를 부인하고, 상하 수직적 위계 논리만을 고집한 채 자신을 보호하는 데만 급급해 한다. 그런가 하면 또 어떤 이들은 자기 자신을 너무도 중요시한 나머지 타인을 대할 때는 언제나 그가 자신에게 얼마

47 intrapsychic: 자아, 원초아, 초자아 등 정신 내적 구조와 관련. -역주

나 이익이 되는지 여부만 판단하려고 든다.

마지막으로 상급자가 의도적으로 인정의 힘을 무력화하려는 경우도 있다. 어떤 상급자는 전략적 이유 혹은 변태적인 악취미로 인해, 굳이 따로 돈이 드는 것이 아닌데도 하급자에게 따뜻한 말 한마디 건네기를 거부한다. 그들 코앞에다 언제나 근사한 선물을 줄 듯 말 듯 들이밀고는 그들의 마음을 애태우는 것이 한결 더 이익이라고 생각한다. 뱅자맹 콩스탕[48]도 자신의 일기에다 다음과 같이 적었다.

> 나는 될 수 있으면 사람들에게 감사의 표현을 하지 않는 게 좋다는 걸 깨달았다. 우리가 감사[49]의 마음을 표현하는 순간 그들은 자신이 엄청나게 큰일이라도 해낸 것 마냥 깊은 착각에 빠져들기 때문이다. 나는 사람들이 아주 훌륭한 일을 하다가도 돌연 감사의 말을 듣는 순간 도중에 그 일을 그만둬 버리는 걸 한두 번 본 게 아니다. 그들은 타인의 인정을 받는 순간 그들 말의 의미를 너무도 확대 해석해 버리려는 경향이 있다.[50]

의식적으로 인정을 거부하는 행위는 가장 폭력적인 형태의 권력

---

48 Benjamin Constant: 프랑스의 정치가이자 작가. -역주
49 인정reconnaissance이란 단어에는 감사의 의미도 있다. -역주
50 뱅자맹 콩스탕, 《일기*Journal intime*》.

남용에 속한다. 인정이란 인간의 정체성을 형성하는 매우 중요한 요소를 이룬다. 사회나 기업이라는 소우주 속에서 인간은 자신을 바라보는 타인의 인식에 의해 변화를 겪는다. 비웃음, 경멸, 무시를 일삼으며 인정을 거부하는 행위는 결국 상대의 마음에 깊은 상처를 남기고 자존감을 뒤흔든다. 그리고 바로 거기서 때로는 최악의 질병이 발생한다. 실제로 일각에서는 이런 무시 전술이 조직적으로 행해지기도 한다. 가령 '인간 깨부수기'[51]는 더 이상 어떤 변덕스러운 감정을 의미하지 않는다. 이제 그것은 비용 절감에 혈안이 된 기업들cost killers이 일부 노동자를 회사에서 조기 퇴출시키기 위해 활용하는 공포 경영의 일종이 되었다. 일부 기업에서 전염병처럼 확산되고 있는 노동자 연쇄 자살 사태는 이것이 얼마나 무시무시한 경영 기법인지를 여실히 증명한다. 이처럼 전략적으로 공포감을 조장하며 노동자를 정신적으로 학대하는 인사 관리 기술에 대해서는 하루빨리 처벌 방안을 마련해야 한다.[52] 일단 프랑스

---

51 cassage humain: 노동자에게 해고의 공포감을 조장하며 더 높은 성과를 올리도록 압박하는 경영 전략을 의미한다. -역주

52 장필립 데보르드Jean-Philippe Desbordes의 노동 실태 조사서《서커스 경영. 포스트모던 시대 경영에 대한 비판*Management circus. Une critique du management à l'époque postmoderne*》(아를르, 악트쉬드Actes Sud, 2012년)을 참조할 것. 가령 그가 인터뷰한 인물들 중 한 명은 이렇게 털어놓는다. "저는 제 소임을 다했을 뿐입니다. 제가 한 일에 양심의 가책은 느끼지 않습니다. 저는 제가 맡은 임무를 완수했어요. 최약체를 골라 공포 경영을 실시했지요. 그래요. 자살한 노동자가 발생한 건 사실입니다. 하지만 저라고 도리가 있겠어요? 오늘날은 최고만이 승리하는 세상, 생존의 법칙만이 지배하는 세상인걸요. 우리는 완전히 규제가 풀려 버린 세상에 살고 있습니다."(15쪽)

의 사법체계는 어쨌거나 그와 같은 방향으로 나아가고 있는 듯이 보인다.

그러나 인정의 개념에 대해서는 비판의 목소리도 적지 않다. 인정의 개념이 비판받는 대목은 크게 두 가지다. 첫째, 니체주의에 대한 공격이다. 사실 이 위대한 독일 철학자는, 아니, 좀 더 정확히 말해 상투적으로 해석되는 니체의 아우라는, 투쟁의 덕목을 열렬히 신봉하는 일부 경영자들에 의해 얼마나 심각하게 침해되고 있는지 모른다. 니체는 자신의 저서 《선악의 저편》에서 인정이란 타인의 평가에 기대어서만 자신의 가치를 가늠하려 하는 전형적인 노예의 윤리라고 비판했다.[53] 이 같은 비판은 은연중에 헤겔과 그가 주장한 '주인과 노예의 변증법'[54]을 겨냥하고 있다. 사실상 강인하고 고결한 정신은 결코 타인의 시각에 좌우되는 법이 없다는 확신에 기초하고 있다. 강인하고 고결한 정신은 스스로가 자신의 가치를 창출하는 존재이기 때문이다. 니체는 인정 욕구 뒤에 감춰진 허약함, 기대, 고통 등은 신파적이고도 온정적인 사회의 민낯을 고스란히 보여 준다고 비판했다.

두 번째 비판은 이 문제를 아주 예리하게 꿰뚫어 본 악셀 호네

53 프리드리히 니체, 《선악의 저편*Par-delà bien et mal*》, 파리, 갈리마르Gallimard, 1971년, 제261절.

54 헤겔은 주인과 노예가 배타적이라고 본 반면, 니체는 양자의 구분이 결정적이지 않다고 보았다. 한 개인 안에 양 측면이 공존할 수 있기 때문이다. -역주

트의 연구와 관련되어 있다. 가령 그는 인정이 이데올로기 무기가 될 수 있다는 사실을 아주 정확하게 간파했다. 아첨의 가면을 둘러쓴 이 무기는 인간을 하급자의 역할에 가두고 거기서 벗어나지 못하게 붙박아 놓는다. 이 같은 술수의 목적은 개인이 자기 자신에 대해 긍정적 이미지를 고양함으로써 그들 스스로가 기꺼이 어려운 과제를 감내하고 결핍을 참아 내도록 만들려는 것이다. 가령 그 어느 때보다 치열한 싸움이 될 것으로 예상되는 전투 전날일수록 군인의 용맹함을 더욱 요란하게 치하하는 것처럼 말이다. 호네트는 또 다른 예를 들기도 했다.

> 교회, 의회, 대중매체는 '훌륭한' 어머니, 성실한 주부를 오래도록 예찬해 왔다. 그러나 그것은 여성을 현 남녀 노동 분업의 현실에 가장 부합한 여성상 안에 가둬 두기 위한 것일 뿐이었다.[55]

어쩌면 우리는 '자기 자신의 경영자'라는 말로 노동자의 자기애를 보듬어 줄 수 있을지 모른다. 그러나 그렇게 하는 목적도 결국에는 노동자가 노동 유연성을 높이고, 스트레스를 더 잘 극복하게 만들기 위한 것일 뿐이다. 그 같은 감언이설로 꾀이면 노동자

---

55 악셀 호네트, '이데올로기로서의 인정La reconnaissance comme idéologie', 《경멸의 사회. 새로운 비평이론을 향하여*La Société du mépris. Vers une nouvelle théorie critique*》(파리, 라데쿠베르트, 2008년, 248쪽)에서.

는 감히 저항에 나서거나, 반란을 일으킬 생각을 하지 못한다. 요컨대 이 경우 인정은 해방과는 거리가 한참 먼 셈이다. 인정은 어려운 상황을 오히려 정상 상태로 인식하게 만든다. 노동자가 그런 비정상적인 현실을 애써 감내하도록 만든다. 악셀 호네트에 따르면, 관념적인 인정은 결코 어떤 합당한 행위로도, 물질적 대가로도 실현되는 법이 없다. 인정이 도구로 활용되는 한, 인정의 대가도 언제나 형식적인 차원에 국한되기 마련이다.

물론 이런 비판들은 모두 귀 기울여 들어야 할 필요가 있다. 그러나 인정에 대한 현대인의 욕망은 너무도 거세기만 하다. 그래서 이 같은 비판쯤은 그다지 큰 장애가 되지 않는다. 사실 인정은 오늘날 그 어느 때보다도 시의성 있는 중대한 문제가 되었다. 기술자본주의 시대는 새로운 휴머니즘이라는 해독제를 필요로 한다. 그런데 바로 인정이 그런 새로운 휴머니즘을 가능하게 하는 것이다. 헤겔의 말마따나 인정은 일종의 투쟁이다. 오늘날 인정 투쟁은 다양한 형태로 일어나고 있다. 인정은 가장 무시무시한 경쟁의 대상이 되었다. 이처럼 집요하게 사람들이 인정에 집착하는 것은 그들 모두가 사회 속에서 비개인화라는 강력한 힘과 마주하고 있기 때문이다. 물론 자기 현시의 도구인 사회관계망서비스SNS 덕분에 잠시나마 우리는 위로를 받거나 우쭐거리는 기분을 느낄 수 있다. 수천 명의 친구, 다른 이용자들의 동조적인 친절로 반짝반짝 빛나는 자아. 사람들은 그런 것들 덕분에 비로소 자신이 정말로 존재하는 듯한 기분을 느낀다. 그뿐만이 아니라 유명 브랜드도 우리 곁에 존재하며 우리가 각자 서로 다른 매우 특별한 존재라고 말해 준다. 소비 행위가 곧 우리 인간 존재를 규정할 수 있기라도 한 것처럼 느끼게 해 준다. 여기서 잠시 페터 슬로터다이크의 이야기를 음미해 보자.

> 어떤 종류의 삶을 사는 것이 좋을까? 어떤 항공편을 예약하는 것이 좋을까? 우리가 두 발을 딛고 선 단단한 땅은 이미 사라진 지 오래다. 샐러드에 칠 소스만 해도 무려 12가지 중에 하나를 골라야 하는 세상이 아니던가. 세상은 흡사 메뉴판과 같다. 우리는 어떻게든 주문을 해야 하고, 절대로 실망하지 말아야 한다. 그것이 포스트모던 시대를 살아가는 기본적인 삶의 조건이니까.[56]

이 거대한 세계에서 인간은 타인과 구분되기를, 각자 자신의 이름으로 불리기를 간절히 희망한다. 그러나 세계는 너무도 광활한 데다 지구촌의 인구도 점점 더 불어나고 있다. 사람들은 그저 신원 번호와 신용카드 정보 등이 기록된 그 길고 긴 목록 속에서 자동 선택되는 데에 만족하는 처지가 되었다. 상업 광고들은 언제나

56 페터 슬로터다이크Peter Sloterdijk, 《유럽이 깨어나면*Si l'Europe s'éveille*》, 파리, 밀에윈뉘Mille et Une Nuits, 1994년, 32쪽.

"존경과 감사(인정)"를 부르짖는다. 그런데도 왜 우리는 이토록 현실이 고통스러운 것일까? 왜 이리도 끔찍한 결핍감에 시달리는 것일까? 왜냐하면 그들이 건네는 감사(인정)는 가짜이기 때문이다. 우리는 그것이 사심 가득한 무늬뿐인 인정에 불과하다는 사실을 너무나 잘 안다. 반면 인간은 무엇인가 훨씬 더 깊은 것을 욕망한다. 가령 인간은 어떤 구체적인 여자 혹은 어떤 구체적인 남자로 인식되기를 바란다. 결코 소비자로서 혹은 현 시스템의 일원으로서 인식되기를 바라지 않는다. 왜냐하면 현 시스템은 그저 개인의 개성을 박탈하고 현 시스템의 기대에 부합하는 인간상을 만들어 내는 데만 관심을 두기 때문이다. 이 복잡한 세상에서 사람들은 각자 자신이 거대한 대양을 이루는 조그마한 물방울에 불과하다는 생각을 지울 수가 없다. 그들이 그토록 구체적인 인정을 받기 위해 목을 매는 것도 충분히 이해할 만하다.

사실 어떤 추상적인 구조로서 인정을 받는 것은 별로 큰 의미가 없다. 정말 중요한 것은 인간의 활동에 의미를 부여하며, 인간의 본질을 이루는, '그 무엇인지 모를 어떤 것'을 예찬하는 일이리라.

여성의 번아웃

버지니아 울프는 여자들에게도 '자기만의 방'이 필요하다고 말했다. 가족들이 모두 둘러앉은 거실에서 일을 하다 보면 남자들이 어깨 너머 수시로 감시의 시선을 보내지, 아이들은 끊임없이 돌봐 달라고 불러 대지, 결코 완전히 자신의 일에 몰입할 수가 없다는 것이다.

제인 오스틴에게는 혼자 조용히 틀어박혀 일할 수 있는 독립적인 서재가 없었다. 그러니 대부분의 작품을 번번이 온갖 방해에 시달릴 위험이 높은 공동 거실에서 썼을 것이 분명하다. 그녀는 하인이나 방문객, 혹은 가족 가운데 그 누구도 결코 자신이 글을 쓰고 있다는 사실을 알아차리지 못하도록 조심했다.[57]

남성의 통제를 완전히 벗어난 단 몇 m^2의 작업 공간. 그것만으로도 많은 것이 달라질 수 있으리라 그녀는 생각했다. 그러나 1세기가 훌쩍 지난 지금도 여전히 여자들은 개방형 사무실이나 방문객을 접견하는 로비, 혹은 슈퍼마켓 계산대, 생산 속도를 관리하기 위해 설치된 감시 카메라 아래에서 버지니아 울프가 그토록 갈망하던 사방이 벽으로 둘러쳐진 내밀한 공간을 열렬히 꿈꾸고 있다.[58]

지금도 여전히 동일 노동에 대해 남성보다 더 적은 보수를 받고 일하는 여성 노동자는 현 시스템이 겨누는 감시의 시선에도 더 많이 노출되어 있다. 또한 무수한 연구를 통해 밝혀진 것처럼, 여성은 번아웃에 걸릴 위험 역시 남성보다 더 높다. 프로이덴버거는 직무 소진이란 개념을 처음 만들어 낸 데 이어 수년 뒤 게일 노스와 《여성의 번아웃》이라는 책을 공동 저술했다. 이 책에서 두 필자는 여러 여성들의 목소리를 다음과 같이 들려준다. "제가 바라는 건

---

57 버지니아 울프Virgnia Woolf, 《자기만의 방*Une chambre à soi*》, 파리, 드노엘, 1992년, 100쪽.

58 엘리자베스 펠그랭주넬Elisabeth Pélegrin-Genel은 이렇게 썼다. "공간의 투명성은 몇 가지 효과를 지닌다. 가령 일의 진행 과정을 훤히 지켜볼 수 있게 해 주고, 테일러식 노동을 가속화할 수 있으며, 노동자가 모든 사적인 활동을 못하게 가로막고, 각자가 가능한 투명하게 일을 하도록 만들 수 있다. 노동 세계를 지켜보면, 주주는 물리적으로 현장에 부재하고, 고객은 현장과 멀리 떨어져 있지만, 직원은 여전히 복제된 현장 속에 얽매여 있다." 그녀의 아주 훌륭한 저서 《미로 안의 생쥐들. 우리 일상 공간의 계략과 조작에 대한 판독*Des souris dans un labyrinthe. Décrypter les ruses et manipulations de nos espaces quotidients*》(파리, 라데쿠베르트, 2010년) 177쪽을 참조할 것.

딱 하나, 그저 잠이나 좀 푹 자는 거예요. 방문 앞에다가 이런 푯말을 걸어 두고서요. '세상이여, 제발 나를 조용히 내버려 다오. 나는 이곳에 없다.'"[59] 여기서 우리는 방이라는 테마와 다시금 마주하게 된다. 최후의 안식처, 방. 그러나 그것은 곧이어 눈물의 방이 되고 말리라. 그리고 자기만의 소굴로 숨어들어 육체가 다시 평소의 활력을 회복할 때까지는 아주 오랜 시간이 걸릴 수도 있으리라. 시스템의 존재는 쉽사리 머리에서 지워지지 않는다. 빅토르 위고의 시에서도 자신의 양심은 물론, 자신을 겨누는 비난의 시선에서도 함께 도망치기 위해 발버둥치는 카인이 등장하지 않는가. 이처럼 고삐를 늦추지 않는 감시와 통제의 시선은 탈진자를 은둔지까지 좇아가 괴롭힌다. 때로는 긴긴 시간 동안 푹 자고나야만 비로소 강력한 기억을 머리에서 말끔히 지워 버릴 수가 있을 것이다.

어떤 이들은 여성에게서 번아웃 현상이 더 많이 관찰되는 이유가 여성이 남성보다 신체가 보내는 신호에 더 예민하기 때문이라고 말한다. 여성이 진료를 받으러 가는 비율이 더 높기 때문에 번아웃을 진단받는 경우가 더 많다는 것이다. 그러나 이것은 완전히 잘못된 해석이다. 비단 낡은 편견에 기대어 번아웃의 진정한 원인과는 전혀 무관한 말도 안 되는 가설을 꾸며 대고 있어서만은

59 허버트 프로이덴버거, 게일 노스Gail North, 《여성의 번아웃*Women's Burnout*》, 런던, 펭귄Penguin, 1985년, 79쪽.

아니다. 더 나아가 파스칼 몰리니에[60]가 '일하는 여성의 수수께끼'[61]라고까지 표현한 여성들의 어떤 복잡 미묘한 현실을 전혀 고려하고 있지 않기 때문이다. 먼저 현 노동 현실 속에서는 여성이 남성과 마찬가지로 앞서 분석한 세 가지 차원의 문제, 즉 완벽주의 달성의 숨가쁨, 휴머니즘(인간성)의 고갈, 인정 추구의 문제를 똑같이 겪고 있음을 인정해야만 한다. 그래야만 훨씬 더 공정할 것이다. 그런데 이것에 더해 여성은 여성만이 처한 고유한 현실과 일부 노동 환경에 내재된 남성우월주의 문화로 인해 이 세 가지 종류의 고충을 남성보다 더 심각하게 겪고 있다는 사실을 덧붙일 필요가 있겠다. 그로 인해 여성에게서는 번아웃의 위험도 더 높게 나타나는 것이다. 일단 오늘날 여성은 남성과 똑같은 문제로 고통받고 있다. 세상은 점점 더 기술적이고 복잡하고 광적으로 변해 가고 있다. 그런 환경 속에서 어떻게 하면 인간이 인간으로 오롯이 남을 수 있는가 하는 문제는 남녀 할 것 없이 모두가 똑같이 겪고 있는 문제다. 그러나 여자는 이 문제에 더해 여성만의 고유한 중압감에도 함께 시달린다. 왜냐하면 노동 세계는 남자가, 남자를 위해 만들어 놓은 세계이기 때문이다. 여성과 남성의 노동 분업 현실이 수세대에 걸쳐 대물림되며 여전히 남녀 간에 수많은 불평등

---

60 Pascale Molinier: 프랑스의 심리학자. -역주

61 파스칼 몰리니에, 《일하는 여성의 수수께끼. 성, 이기주의, 그리고 연민*L'Enigme de la femme active. Sexe, égoïsme et compassion*》, 파리, 파이요, 2003년.

을 야기하고 있기 때문이다. 구체적인 예를 들어 보자. 현대사회에서는 시간이 점점 더 가속화되면서 남자나 여자 모두 자신을 위한 시간이 턱없이 부족하다고 느낀다. 그러나 여성의 고충은 그것에만 그치지 않는다. 왜냐하면 여성은 자녀 교육에도 많은 시간을 할애해야 하기 때문이다. 아이들의 생활 리듬에 맞춰 일상을 살아 내야 하기 때문이다. 이런 부가적인 의무는 언제나 주로 여성의 몫으로만 돌아갈 뿐이다. 물론 자녀와 더 많은 시간을 보내지 못해서 느끼는 죄책감도 오로지 여성의 몫이다. 그러니 여자가 번아웃의 위험에 더 많이 노출되어 살아간다는 사실은 그다지 놀랄 만한 일은 아닌 셈이다.

> 일하는 여성은 그 명칭에서 알 수 있듯 여성이면서 동시에 경제 활동을 한다. 일하는 여성에 대한 사회적 규범은 여전히 전통적인 여성성의 기준에 얽매여 있다. 그럼에도 어떤 규범은 과거의 기준을 완전히 탈피해 있기도 하다. 과거의 기준에서 자유롭다는 것은 단순히 의미심장한 변화만을 의미하지 않는다. 가히 사고 체계의 혁명에 해당한다.[62]

앞에서 살펴본 번아웃의 세 가지 요인을 좀 더 깊이 들여다보

---

62 같은 책, 26쪽.

면, 현대사회에서 여성으로 살아가는 동시에 경제활동을 해야 하는 이중고에 시달리는 여성들이 왜 남성보다 더 쉽게 번아웃 증후군에 빠져들게 되는지, 이젠 그만 숨을 좀 쉬고 싶다고 절규하게 되는지 쉽게 이해할 수 있을 것이다.

남자들의 세계에서 완벽한 존재가 되기

이미 살펴본 것처럼 어떤 환경에 적응한다는 건 때로 매우 어렵고도 많은 에너지를 필요로 한다. 특히 주체가 자신에게 가장 중요한 일, 다시 말해 자기실현에 할애할 시간이 부족한 경우라면 환경에 적응하는 일은 더욱더 힘겨운 노역이 된다. 인간은 흔히 완벽한 노동자라는 이상에 부합하고 모든 요구에 부응하려고 노력한다. 그러나 정작 그러한 과정에서 자신을 잃어버리게 된다. 특히 남성에 의해 설계된 노동 환경 속에서 살아가는 여성은 말도 못하는 고충에 시달린다. 물론 남성이 세상을 바라보는 시각은 여성보다 더 좋다거나 혹은 더 나쁘다고 말할 수 있는 성격의 것은 아니다. 그것은 그저 남성적인 시각일 뿐이다. 그러나 인정할 것은 인정해야 한다. 어려서부터 몸에 베인 익숙한 사회규범으로 이뤄진 환경에서 변화를 도모하는 것보다 이성이 만든 세계에 적응하는 일이 훨씬 더 어렵다는 것을. 조지프 콘래드도 소설 《우연

Chance》에서 여성으로 산다는 것은 "굉장히 불편한 일이다. 왜냐하면 그것이 남성을 상대해야 하는 일이기 때문이다"라고 말하지 않았던가. 이 구절은 오늘날 일부 직업 세계의 풍경을 고스란히 보여 주고 있는 듯이 느껴진다.

오늘날 '백인 남성 기술자'는 일종의 제도처럼 자리를 잡았다. 파스칼 몰리니에의 표현대로 '지성의 척도étalon'가 되어 버린 것이다. 그러나 동시에 그것은 지성의 '아킬레스 건talon'으로 작용하기도 한다고 그는 첨언한다. 사실상 우리가 정신의 대대적인 숙청 작업에 나서게 된 것은 모두 이 지성과 지성의 아버지들—데카르트, 베이컨, 오귀스트 콩트, 생시몽—때문이었다. 이성은 우리의 정신에서 감정과 정서라는 주관적 영역을 제거해 버렸다. 그러나 그것이야말로 평소 삶을 규정해 오던 영역이 아니던가. 오늘날 도구적 이성이 눈부신 승리를 거두면서 변신도 남성 중심으로 구축되고 있다. 몰리니에는 이렇게 말한다. 주류 계급인 남성은 점점 더 "세상을 자신들의 추상적인 지성을 구현하는 것들로 채워 나가고 있다. 가령 수치, 비율, 도표, 정량적으로 표현된 규칙성, 복소수 시스템, 로봇, 합리적이고 전략적인 계획, 실행 작전, 새로운 통신 기술 같은 것들로 말이다."[63] 아마도 현 시대의 지배적 특성인 지독한 근엄함도 바로 거기서 기인하는 것이 아닌가 싶다. 전 세계에

---

63 같은 책, 137쪽.

드리워진 근엄함의 장막은 일부 유익한 즐거움을 용인하는 척하면서 실제로는 모든 이들이 각자 숫자 앞에 무릎을 꿇고, 경제적 독재에 복종하고, 가혹한 삶에 순응하도록 요구하고 있다.

이런 근엄함의 기원은 자본주의 초기까지 거슬러 올라간다. 일테면 이탈리아의 저명한 은행가 지오바니 아르놀피니의 모습을 담은 반 에이크의 작품을 보라. 현재 런던 국립미술관National Gallery에 소장되어 있는 〈아르놀피니 부부의 초상〉(1434년 작)이라는 제목의 이 작품을 통해 플랑드르의 천재 화가는 앞서 말한 근엄함의 본질을 아주 예리하게 꿰뚫고 있다. 그는 근엄하게 앙다문 입술, 냉랭한 시선, 격식에 얽매인 탐욕적인 자태를 통해 책임자의 위치에 선 인간의 근엄함이 때로는 얼마나 냉혹할 수 있는지, 또 그의 권태는 얼마나 전염성이 강한지 제대로 보여 주고 있다. 아르놀피니는 모든 감투 쓴 자들의 원형인 셈이다. 그들은 모두 하나 같이 타인을 두려움에 떨게 만드는 데서 만족감을 얻는다. 권력은 그들이 자신들로 인해 건강을 잃게 된 인간의 고통을 외면하게 만든다. 그들은 나약함을 경멸하는 것처럼 보인다. 그들은 강인하고 완벽한 모습을 과시하고, 우울한 삶을 조롱한다. 이와 같은 이른바 근엄한 자들은 현 시대에도 여전히 반 에이크의 작품에서처럼 거무튀튀한 옷을 차려 입고 언제든 세상으로 나갈 채비를 하고 있다. 아마도 그들은 예나 지금이나 아르놀피니의 부인이 입은 것과 같은 화려한 색상의 옷은 사적인 공간에서 그저 기분 전환용으로나

입어 보는 것이라고 치부할 것이다. 그런 총천연색은 오로지 집 안에서, 검붉은 빛깔의 침대 곁에서나 허용될 수 있는 것이라고.

그럼에도 화려한 색상은 남성적인 근엄함을 치유하는 상징적 해독제다. 오늘날에도 여성들은 총천연색 옷을 화려하게 차려입고서, 여전히 비주류 가치의 대변자를 자처하고 있다. 설령 주류에는 속하지 못할지언정 인류가 열렬히 필요로 하는 그 가치들, 이를테면 기지, 연민, 참신성 등을 대변하고 있는 것이다. 그러니 이중의 전선에서 전투를 벌이는 여성들이 이따금 지친 모습을 보이는 것도 충분히 이해할 만하다. 왜냐하면 그들은 시스템에 적응만 한다고 해서 그것으로 끝이 나는 것이 아니기 때문이다. 더 나아가 시스템을 전복하고, 시스템에 균열을 내야만 한다. 그래야만 인간의 머릿수만큼이나 다양하고 풍요로운 정신세계를 반영할 수 있는 시스템을 구축할 수가 있을 것이다. 그러니 번아웃 사례에서 흔히 나타나는 여성의 완벽주의는 그다지 부러워할 것이 못된다.[64] 오히려 여성의 완벽주의는 그들의 고충을 고스란히 나타내는 증표다.

이런 여성들은 무의식적으로 회사에 '빚'을 지고 있다고 느낀다. 여자에게 일자리는 시혜라고 들어 온 탓이다. 그들은 비정상

---

64 미셸 델브룩Michel Delbrouck의 《어떻게 번아웃을 치료할 것인가*Comment traiter le burnt-out*》(브뤼셀, 드북De Boeck, 2011년, 58~60쪽)에는 번아웃 위험이 높은 사람의 행동 양태에 대한 흥미로운 분석이 담겨 있다.

적으로 힘을 쏟아부으며 빚진 것을 갚으려 한다. 프로이덴버거도 완벽주의로 인해 발생하는 여성의 번아웃 사례에서 정신의 분열, 즉 'dual mind' 증상을 지적한다. 먼저 여성은 한편으로는 여전히 여자로 살며 본능에 충실하기를 원한다. 그러나 내면 깊은 곳에서 스스로를 회의하는 목소리가 들려온다. 이내 여성은 타인의 말만 철석같이 믿으며, 회사에서 표준으로 통하는 모델을 닮고 싶은 마음을 품게 된다.[65] 그러나 동시에 두 가지 길을 따를 수는 없는 일이다. 결국 여성은 이런 딜레마를 해결하기 위해 제3의 길을 선택하기로 한다. 말하자면 완벽한 존재로 거듭나는 것이 좋겠다는 결론에 이르는 것이다. 그러면 모든 문제가 말끔히 해결될 것이라고 철석같이 믿는다. 자신만큼 완벽하게 일하는 사람은 없을 테니 그녀는 감히 누구도 따를 자 없는 독보적인 존재가 될 수 있을 것이다. 또한 그녀는 자신에게 요구되는 모든 것, 아니, 그 이상의 것을 해낼 것이니 표준적인 인재상에도 완벽하게 부응할 것이다. 그녀에게 완벽주의는 최고의 돌파구처럼 보인다. 왜냐하면 모든 면에서 그녀는 승리자가 될 수 있을 것이기 때문이다. 여자로서도, 경제 활동의 주체로서도 완벽한 존재로 거듭날 수 있는 것이다. 그러나 그렇게 매일 같이 중노동을 견뎌 내고, 눈가에는 거뭇하게 다크서클까지 내려앉았지만, 그 같은 해법은 그저 환상에 불

65 허버트 프로이덴버거, 《여성의 번아웃》, 같은 책, 124쪽.

과했음이 백일하에 드러난다. 결국 가장 바람직한 방법은 이런 모순 앞에서 우리의 인식을 바꾸는 길뿐이다. 그래야만 일하는 여성으로 살아간다는 것이 일하는 남성으로 사는 것만큼이나 정상적인 일이라는 사실을 이해할 수 있을 것이다.

연민의 함정

여성의 입장에서 보면 휴머니즘(인간성)의 고갈이란 문제도 새로운 시각으로 다가온다. 번아웃의 두 번째 요인인 휴머니즘의 고갈은 대개 어린 시절, 학창 시절, 환자 생활, 혹은 노년기와 같이 인생의 중대한 시기를 보내는 이들을 도와주는 직업 종사자들에게서 많이 나타난다. 이 직업군의 여성 종사자 비율은 특히 매우 높게 나타나는데, 어린이집에서도, 유치원에서도, 학교에서도, 병원에서도, 요양원에서도 타인의 문제와 대면하며 살아가는 것은 주로 여성들인 셈이다. 그들의 일은 평가하기도 어렵고, 타인의 주목도 잘 받지 못한다. 유용성에 열광하는 현 시대는 섬세함과 감정이 주를 이루는 이런 중대한 인생의 시기들 앞에서 좀처럼 진득하게 참고 기다려 주는 법이 없다. 흔히 우리는 이 직업에 종사하는 여성들은 타인에 대한 연민을 천부적으로 타고 났다고 생각한다. 그들이 자신의 고유한 성향에 충실히 살아가고 있다고 여기는 것이다. 또한 타인에게 도움의 손길을 내밀고, 그들을 불쌍히 여기며 함께 고통을 나누는 건 '여성 특유'의 행동 양태라고 간주한다. 여성은 연약함에 익숙하고, 고통에도 잘 단련되어 있으며, 인내심이 많고 온정적이다. 그러니 그런 직업은 여성의 내면 깊숙한 곳의 자아와도 조화를 잘 이룰 것이라고 생각하는 것이다. 덕분에 남성은 노동 시스템 안에서 그런 종류의 일을 떠맡을 필요가 없다.

그러나 연민을 여성의 본성과 연관 짓는 건 매우 위험한 함정이다. 파스칼 몰리니에의 가르침대로 양자를 연관시키던 사고는 가급적 얼른 벗어나는 것이 좋다. 금발 머리, 갈색 머리, 붉은 머리 따위를 타고 나듯, 여성이 천부적으로 연민을 타고나는 것은 아니다. 타자에 대한 관심은 '사회적 구성물'이자 '집단 노동의 산물'[66]이다. 물론 해당 사회나 집단에는 각자 나름의 고유한 규범과 의무, 문제와 행복이 존재하기 마련이다. 쇼펜하우어는 틈만 나면 "남자에게는 정의를, 여자에게는 자비를"이라고 외치곤 했다. 그가 훌륭한 형이상학자였는지는 몰라도 여자를 개만큼도 존중하지 않는 형편없는 남자였음은 분명하다. 사실 '천부적으로 자비로운'이라는 타이틀만큼 강력한 독도 없다. 이런 꼬리표를 붙이는

---

66 파스칼 몰리니에, 《일하는 여성의 수수께끼. 성, 이기주의, 그리고 연민》, 위의 책, 11쪽.

순간 모든 문제는 여성의 기질 탓이 돼 버리고, 타인에 대한 배려심이 지나친 것이 문제의 근원이라는 오판을 하게 된다. 가령 파스칼 몰리니에가 관찰한 여자 간호사들의 경우를 살펴보자. 그들은 매일 식물인간이나 임종 환자들을 돌보며 스스로를 '극한 중에서도 최고의 극한에 서 있는 사람들'로 표현한다. 그러나 만일 그들에게 '천부적으로 자비로운'이라는 꼬리표를 갖다 붙인다면, 그 순간 그들이 격무에 지쳐 버린 것은 오히려 여성 고유의 성향 탓으로 돌아간다. "당신은 사랑이 너무 지나친 게 문제예요. 모든 게 당신의 천성 때문이라고요. 당신은 너무 헌신적이에요. 제발 현실을 너무 비관하지는 말자고요." 아마도 그런 식으로 그들이 토로하는 고충은 "대개 개인의 연약함에서 비롯된 별 대수롭지 않은 말처럼 폄하"[67]되고 말 것이다.

그러나 지나친 연민이 문제의 근원이라는 증거는 아무 데도 없다. 문제는 오히려 인력 부족이나 잘못된 노동 시스템에 있다. 그럼에도 타인에 대한 관심을 여성의 본성과 억지로 결부시키며 그것이 문제의 근원이라고 둘러댄다.

모든 여성은 '관계를 중시하는 자아'를 갖고 있다고 간주된다. 어머니에게서 딸로 유전된 이 자아는 출산의 경험을 통해 최적의

67 같은 책, 192쪽.

모습으로 나타난다는 것이다. (중략) 결국 배려의 결핍은 여성성의 변질로 인식된다.[68]

한번 덫에 걸리면 웬만한 힘으로는 빠져나오기가 힘들다. 일단 덫에 빠진 여성은 점점 더 큰 죄의식 속으로 빠져들고, 그들이 겪는 어려움이 여성 노동자로서, 더 나아가 여성으로서 지닌 자신의 결함—여성으로서의 결함은 여성 노동자로서의 결함보다 더욱더 견디기 힘든 문제다—에서 비롯된다고 인식하기 시작한다. 실상 그들의 고충은 여성의 본성과는 전혀 관계가 없는 이유들에서 기인하는데도 말이다. 가령 소란스럽게 설치는 10명의 아이들을 돌보는 어린이집 보모가 일이 너무 힘에 부친다고 호소했다 치자. 이때 문제는 그녀의 여성성이 아닌 인력 부족이다. 그럼에도 여기서 이른바 '과도한 연민'[69]이라고 일컬어지는 번아웃 증상은 창조적 힘을 발휘하지 못하는 연민을 문제 삼아 무조건 내적 요인의 탓으로 돌려질 것이다. 자신의 역량 부족이나 '인내심의 결핍'에 대해 고개 숙여 사죄하는 여성 간호사를 자주 만나게 되는 것도 모두 그 때문이다. 이 경우 결국 문제는 '심리적 영역의 문제'로 전이된다. 그래서 그들은 자신의 개인사를 분석하는 데 매진한다. 모든

68 같은 책, 87쪽.
69 같은 책, 190쪽.

문제의 원인을 스스로의 결함에서만 찾으려 한다. 노동의 사회적 조건을 따지고 들거나 개혁할 생각을 하지 못한다. 여기서 연민이라는 소중한 덕목은 일종의 직업적 자질로 간주된다. 그러나 연민은 연민 그 자체로 이해되어야 한다. 특별한 상황에서 기적을 행하는 마법 같은 어떤 특별한 감정이 결코 아니다. 그런 식으로 이해할 때 비로소 연민은 그에 합당한 가치를 인정받을 수 있을 것이다. "고통을 외면하지 않는 세상에서 삶의 행복을 추구하며 살아가는 삶"[70]의 태도를 가장 확연히 보여 주는 어떤 감정으로 계속해서 남을 수 있을 것이다.

인정과 모성

인정의 추구가 심신 탈진의 세 번째 요인이라는 사실을 앞서 확인했다. 남자든 여자든 사람은 누구나 타인의 시선을 열심히 살피며 살아간다. 타인의 눈에서 자기가 한 일이 결코 헛되지 않았다는 확신을 얻고 싶어 한다. 타인의 시선 속에서 자신이 소중한 존재임을 확인받고 싶어 한다. 복잡한 현대사회에서는 이런 각별한 관심에 목말라하는 이들이 한둘이 아니다. 심지어 이런 욕망은

---

70 같은 책, 117쪽.

경쟁의 영역이 되기까지 했다. 더 이상 인정은 저절로 주어지는 것이 아니라 때로는 힘들게 쟁취해야만 하는 대상이 되었다.

이런 어려움은 시대적 특성에서 기인한다. 그럼에도 유독 여성은 이 문제로 인해 더욱 크나큰 고충을 겪고 있다. 그것은 많은 여성이 자식을 낳고 어머니가 되기 때문이다. 어머니를 개인적으로 인정해 주는 주체는 다름 아닌 어린아이이다. 서열을 세우는 시험으로 치면 아이는 비경쟁 영역에 해당한다. 원칙적으로 아이는 절대자다. 인간적인 측면에서도 그렇지만 어머니와 살을 나눈 분신이라는 의미에서도 그렇다. 아이는 욕망에서 탄생한 존재로 자유로운 운명을 타고 났다. 고결한 방식을 통해 세상에 나온 아이라면 그의 앞에는 더욱더 자유로운 길이 펼쳐질 것이다. 사실 모성의 경험은 철학사에서는 자주 도외시되어온 주제다. 그러나 분명 모성의 경험은 인간의 삶이 얼마나 경이로운지를 보여 주는 순간이다. 어머니가 된다는 건 인간의 가장 내밀한 본성에서 유래한 어떤 생물학적 기적을 실현하는 순간인 동시에, 혼자서는 배울 수 없지만 운명을 바꿀 수 있을 정도로 놀라운 능력, 다시 말해 교육을 행하는 과정이기 때문이다. 별안간 인간 존재의 신비로움이 누군가를 열렬히 바라보는 어린아이라는 구체적인 형상을 띠고 눈앞에 나타나는 것이다. 그런데 여기서 아이가 열렬히 바라보는 대상은 대개의 경우 어머니다. 어머니의 얼굴을 바라보면서 아이는 평온함을 얻는다. 그러나 동시에 그는 무엇인가를 요구하기도 한다. 그렇게 역사는 시작된다. 물론 처음에는 모든 게 놀랍게만 느껴진다.

출산과 함께 여성의 삶은 모든 것이 뒤바뀐다. 그러나 몇 개월의 은혜로운 시간이 지난 뒤에도 결코 변하지 않는 것들이 있다. 가령 이메일 더미가 쌓이기는 출산 전이나 후나 마찬가지다. 그런가 하면 어떻게 해야 훌륭한 IT 기술자, 능력 있는 경찰관, 열정적인 교사가 될 수 있는가 하는 직업적 고민들도 고스란히 남는다. 세상은 단순히 출산이라는 그런 사소한 일로 갑자기 멈춰 서지 않는다. 그러나 세상은 더 이상 예전과 똑같은 방식으로 굴러가지 않는다. 마치 이전에 잘 알고 있던 어떤 힘들이 새로운 자기장의 간섭을 받아 좌표가 바뀌어 버리기라도 한 것만 같다.

'모든 것이 달라졌다'와 '모든 것이 그대로다'라는 양면성 속에서 어떻게든 균형을 되찾아야 한다. 이제부터 인정의 문제는 한결 더 복잡해진다. 예전에는 능력 있는 워킹 우먼이나 혹은 매력적인 동반자 내지는 배우자가 되는 것이 문제였다. 그러나 이제는 여기에 좋은 엄마임을 인정받기까지 해야 한다. 더욱이 이 새로운 요구는 기존의 역할에 덧붙여지는 부가적인 책무가 아니다. 그것은 완전히 별도의 요구다. 말하자면 비경쟁 영역이다. 이를테면 '모성적 예외'다.

상황은 한결 더 복잡해졌다. 오늘날 여성들은 아직 객관적 평가를 내리기 힘든 매우 현대적인 문제들을 겪고 있다. 가령 줄기

세포 연구에 몰두한다는 건 어떤 의미를 지니는지, 어떻게 하면 남자들로 이뤄진 조직을 잘 이끌어 나가면서도 동시에 여성성을 유지할 수 있는지 따위의 문제들과 대면하고 있다. 그런데 현대에 이르러 직면하게 된 이런 어려운 문제들 외에도 여성들은 태곳적부터 이어져 온 문제와도 대면해야 한다. 바로 '좋은 엄마'가 되어야 한다는 요구다. '좋은 엄마'란 각각의 가정마다 다른 모습을 요구한다. 그러나 동시에 어머니란 이미지는 '마테르 돌로로사(슬픈 성모)', 성모 마리아와 같은 기독교적 원형의 어머니, 높은 권위를 누리는 유대인들의 어머니, 기개가 넘치는 모계사회 여성 부족장, 거세자로서의 어머니 등 온갖 보편적 이미지와 결부되어 있다. 그리고 무의식적인 이런 다양한 이미지들이 정신세계에 초청되어 어머니가 되는 과정에 지대한 영향을 미친다. 어머니가 된다는 건 옛날부터 꾸준히 계속되어 왔으면서도 매번 새롭게 시작되는, 그리고 언제나 다른 형태로 변주되어 나타나는 과정인 것이다. 세계의 충돌은 충격적이다. 한편에는 남성과 대등한 워킹 우먼이라는 여성의 현대적인 이미지가 창조된다. 그러나 다른 쪽에서는 오래 전부터 인류를 이룩해 온 생물학과 유전 법칙의 기묘한 결합 속에 뿌리내린 어머니의 이미지가 굳건히 자리 잡고 있다. 그런데 만일 이런 두 가지 세계의 충돌이 빽빽 울어 대는 갓난아이의 울음소리, 말도 안 되는 이유로 떼를 부리는 어린아이의 고집, 정신을 쏙 빼놓는 밤들, 경제적인 근심들, 학교 문제, 가족들 간의 다툼 등이 뒤범벅

된 가운데 일어난다고 치자. 아마 이제는 여성들에게서 조금씩 탈진 증세가 나타나는 것도 충분히 이해할 수 있을 것이다.

비올렌느 게리코는 '어머니들의 번아웃'[71]에 대해 이야기했다. 어머니들의 번아웃이란 주제는 결코 무시할 수 없는 문제다. 때로는 매우 중차대한 문제이기까지 하다. 번아웃에 관한 책들은 대부분 직무 소진의 문제만을 다룬다. 마치 가정의 문제는 심신 탈진의 원인이 될 수 없는 것처럼 말이다. 그러나 많은 경우 가정의 문제는 비록 유일한 원인은 아닐지언정, 매우 결정적인 원인으로 작용하기도 한다. 번아웃은 우리 시대가 겪고 있는 '과도함'의 장애다. 우리 시대는 전 영역에 걸쳐 급격한 성장을 바탕으로 건설되고 있다. 그러니 '과도함'의 현상을 피할 길이 없는 것이다. 아이를 갖기로 결정한 일하는 여성에게서 이 '과도함'이란 요컨대 불과 수십 년 전까지만 해도 전업으로 간주되던 두 가지 일을 동시에 겸업하는 것을 의미한다. 오늘날의 현실은 한시바삐 우리의 사고 체계, 특히 남성의 사고 체계를 바꾸는 것이, 그리고 노동의 사회경제학적 조건을 개선하는 것이 얼마나 시급한 문제인지를 여실히 보여 준다. 그저 단순히 우리가 삶을 살기 위한 시간을 되찾기 위해서라도 말이다.

---

71 비올렌느 게리코Violaine Guéricault, 《어머니들의 정서적, 육체적 피로*La Fatigue émotionnelle et physique des mères*》, 파리, 오딜자콥Odile Jacob, 2005년.

제3부
포스트모던
시대의 불안

거울 장애 이론

문명병이란 개인이 자신이 처한 사회적 상태를 더 이상 견디기 힘들 때 그에 대한 반응으로 겪게 되는 어떤 모호한 불안감을 지칭한다. 그들이 고질적인 반골 분자인지, 아니면 반대로 체제에 충실한 하수인인지는 그다지 중요하지 않다. 관건은 그들이 어떤 분리의 체험을 하는 데 있다. 그들의 상태는 그들이 속한 시스템의 결함을 반영한다. 그들이 거부하는 것 속에는 그들이 과거 지지했던 가치관의 흔적이 고스란히 남아 있다. 문명병은 사람들이 도무지 받아들이기 힘들어 하는 무엇인가를 반영한다는 점에서 일종의 '거울 장애'다.

이런 종류의 장애를 일컫는 현대어가 바로 번아웃이다. 번아웃이란 과도함, 스트레스, 의미의 상실, 수익지상주의, 기술주의 시스템 안에서 더 이상 휴머니즘의 가치를 표방하기 어려운 현실 등에서 기인하는 어떤 불편한 감정을 의미하는 것으로, 현 노동 시스템의 어두운 단면을 고스란히 보여 준다. 장애의 원인과 유래가 개인의 외부, 다시 말해 직업적 환경과 연관되어 있다는 점에서 번아웃은 내인성 장애라기보다는 오히려 반응성 장애에 가깝다.

문명에 의한 병적 징후들은 서로 은밀히 연관되어 있다. 물론 이런 징후를 나타내는 개인들도 마찬가지다. 가령 그들은 감수성이 예민한 자들이다. 어떤 시대를 살든, 그들 모두는 제발 동시대인들이 조금만 더 이성적이고 품위 있는 모습을 보여 주기를 희망했던 사람들일 것이다. 그런 이들의 심리 상태에서 가장 기본적으로 나타나는 현상은 바로 시스템에 대한 반발이다. 오랜 성찰과 반성 끝에 그들은 자신들에게도 물론 허물이 없는 것은 아니지만 진정 비판받아야 할 대상은 바로 세계라는 결론에 이른다. 그들은 그러한 불편한 감정을 표현하기 위해서, 그리고 무엇보다도 저 자신을 구하기 위해서 그런 감정 상태를 표현할 수 있을 만한 용어들을 만들어 냈다. (물론 그것이 설령 물리적인 생명을 구하는 것이 아니라 문자 그대로 세상에 제 가죽을 남기는 것을 의미할지라도 말이다.[1] 사실 각성한 영혼들은 예술이나 지적 작업을 안식처로 삼아 헛되이 자신을 소진하는 대신 그 속에서 자신을 표현할 수단을 찾지 않던가.) 그런

1 프랑스어로 'sauver sa peau'는 '목숨을 구하다'라는 의미를 지니는데, 여기서 'peau'는 생명이란 의미 이전에 가죽이나 피부를 뜻한다. -역주

용어들 속에는 당대의 흔적이 고스란히 녹아 있다. 왜냐하면 거울 장애는 일정한 역사나 맥락과 연관되어 있으며, 객관적 거리를 두고 특정한 상황을 평가하는 역할을 하기 때문이다. 그 말은 곧 문명병의 역사를 차근차근 되짚어 보는 일이 매우 중요하다는 뜻이기도 하다. 근대 시대 현실 반발의 계보 속에서 번아웃을 살펴봄으로써, 번아웃이 곧 탈근대 시대 현실 반발을 의미한다는 사실을 이해하는 것은 매우 중요하다.

이미 살펴본 바와 같이, '아케디아'는 수도원의 규율과 책무, 이성의 회의에 대한 부정적 시각 등에서 분리되는 것을 의미했다. 그러다 교회의 담장을 벗어난 아케디아는 살짝 얼굴을 바꾸고 새 이름을 얻는다. 요컨대 아케디아가 보들레르식 우울spleen로 변형된 것이다. 아케디아나 보들레르식 우울이나 중심 뼈대를 이루는 기본적 정서는 똑같다. 슬픔, 권태, 낙심, 멜랑콜리가 시대를 초월해 살아남은 것이다. 올더스 헉슬리도 세간에 잘 알려지지 않은 한 에세이에서 19세기식 권태를 분명 과거 수도사가 앓았던 아케디아의 존속으로 보고 있다.

아케디아가 걸어온 길은 상당히 흥미롭다. 아케디아는 본래 지옥불에 떨어져 마땅한 대죄를 의미했다. 그러나 곧이어 질병의 위상을 얻게 되고, 급기야 서정적인 감정의 지위를 획득한다. 덕분에 근대 문학에 많은 영감을 불어넣으며 소중한 과실을 맺는다.[2]

아케디아는 몇 단계에 걸쳐 변형을 거듭한다. 처음에는 '멜랑콜리'로 불리다가, 이어 '우울spleen', '권태', '신경쇠약neurasthenia' 등으로 이름이 바뀐다. 그러나 이름이 바뀌어도 현실에 대한 이의 제기라는 함의는 그대로 간직한다.

특히 보들레르에게서는 이런 현실 반발의 의미가 매우 강렬하게 나타난다. 보들레르는 자신의 기질 속에서 보편성을 지니는 부분과 특수성을 지니는 부분을 직접 구분한다. 가령 그 속에는 보편성 말고도, 그가 마지막까지 꿈꾸었던 최후의 이상을 송두리째 짓밟아 버린 철기시대의 고유한 특성이 존재한다고 여겼다. 먼저 그의 우울은 영벌과 구원의 욕망, 원죄, 그리고 예술 및 삶을 매개로 타락 속에서도 눈부신 빛을 발산하는 어떤 아름다움을 되살려 보려는 의지 등으로 버무려진 일종의 메타 역사적 요소를 지니고 있었다. 가령 보들레르는 '이카로스의 탄식Les plaintes d'un Icare'에서 "정체 모를 불의 눈 아래서" 그의 날개가 불타 버리고, "타 버린 그의 눈은 오로지 태양의 추억만을 볼 뿐"[3]이라고 쓰면서 결국엔 모든 시대를 관통하는 어떤 보편적 주제에 천착하고 있다. 그가 끊

---

2 올더스 헉슬리Aldous Huxely, '아케디아L'accidie', 〈여백에*En marge*(원제: On the margin)〉, 에딩시옹쥐니베르셀, 1945, 25쪽. "그는 이렇게 썼다. 아케디아는 지금까지도 우리에게 많은 영감을 준다. 그것은 가장 진지하면서도 가장 날카로운 문학 주제 중 하나다."

3 샤를르 보들레르Charles Beaudelaire, 〈악의 꽃*Les Fleurs du mal*〉, 파리, 갈리마르, 1972년, 221쪽.

임없이 자신의 영혼과 논의했던 '이주'의 문제는 오로지 리스본, 네덜란드, 더 나아가 토르네오를 찾아가야만 해결될 수 있을 것이다. 그는 "어디라도! 어디라도! 이 세상 밖이라면 어디라도!"[4] 가야만 한다고 외친다. 이 대목에서도 역시 그는 모든 시대를 초월한 존재이자, 모든 탈주자의 형제이다. 그의 탈주는 형이상학적이다. 그러나 그가 '반역자Rebelle'의 말미에서 포효했던 말을 보라. "나는 싫다." 훗날 브뤼셀에 가서 묻히고 싶다는 괴기스러운 생각이 들 때 다시금 냉혹하게 '빌어먹을'이라는 말로 또 다시 함축되어 표현되었던 그 말. 사실상 그 말은 1860년대 프랑스라는 어떤 특수한 현실에 대한 거부처럼 울려 퍼진다. 한편 그는 '폭죽불꽃'[5]에서도 "내 분노가 시작된 때가 언제인지 이야기하고 싶다"라고 썼다. 말하자면 그의 우울은 모더니티, 진보, 기계화의 유죄를 뒷받침하는 주요 논거였던 셈이다. 보들레르가 보기에는 "앳된 사랑의 푸른 낙원"에서의 추방을 더 이상 돌이킬 수 없는 결정적인 사건으로 만들어 버린 주범은 바로 시대였다. "게으른 자들의 교리, 벨기에인들의 교리"[6], 즉 진보는 이 땅에서 영웅 정신의 마지막 추억까지 깨끗이 쓸어 버렸다. 이제 남은 것은 황금시대에 대한 향수

4 샤를르 보들레르, 〈파리의 우울*Le Spleen de Paris*〉, 파리, 플라마리옹, 1987년, 178쪽.

5 샤를르 보들레르, 〈폭죽불꽃*Fusées*〉, 파리, 갈리마르, 1986년, 85쪽.

6 샤를르 보들레르, 〈발가벗은 내 마음*Mon coeur mis à nu*〉, 파리, 갈리마르, 1986년, 95쪽.

뿐이었다. 산업 문명은 황금시대에 대한 모든 경이로운 흔적들을 말끔히 지워 버렸다.

그로부터 수십 년이 지나고 이번에는 신경쇠약이 유럽의 문학계를 지배한다. 19세기 말부터 제1차 세계대전에 이르기까지 신경쇠약은 피로, 불안, 두통, 의기소침 등 개인의 병적 징후는 물론 사회정치적인 차원의 병리적 징후까지 모두 아우르는 말로 통용된다. 프루스트에서 토머스 만의 《마의 산》에 이르기까지, 신경쇠약과 그에서 파생된 병리적 징후들을 바탕으로 시대를 겨누는 비판적 담론이 탄생한다. 흔히 '미국'에서 유래한 것으로 간주되는 신경쇠약은 관조적 정신들이 불안하고, 안이하고, 물질주의적인 사회에서 살아가기 위해서는 어쩔 수 없이 치러야 할 대가였다. 버지니아 울프에 이르러서도 진보와 근대 노동 시스템은 주요한 비판의 표적이 된다. 그녀는 산업혁명의 높은 파고 속에서 아마도 깊은 한숨을 내쉬었을 것이 분명하다. 그녀는 불가항력적인 현상 앞에서 마치 체념하듯 이렇게 썼다. "밖에서는 수백만 개의 손이 부지런히 바느질을 하거나 회반죽을 빚고 있다. 그들의 일은 한도 끝이 없이 계속 이어진다. 그리고 내일이면 이 모든 일이 또 다시 처음부터 반복된다."[7]

제1차 세계대전이 끝난 뒤 얼핏 이 문명병의 계보도 끊어진 듯

---

7 버지니아 울프, 《파도*Les Vagues*》, 스톡Stock, 1974년, 73쪽.

보였다. 편집증과 정신분열증이 문학과 철학을 점거하였지만 아케디아나 우울, 신경쇠약과 달리 그것은 거울 장애가 아니었다. 이 두 주요한 정신장애는 오히려 내인성 불투명 장애[8]에 가까웠다. 그런 만큼 사회정치적 목적으로 이 질병을 이용하기란 부적절해 보였다. 게다가 이 질병들은 시대와 민족에 관계없이 거의 비슷한 분포로 발병했기 때문에 어떤 특정한 시대나 특수한 상황에서 기인하는 장애로 간주하기가 힘들었다.

물론 원칙적으로는 그 같은 어려움이 존재했다. 그러나 어쨌거나 이 두 가지 정신장애도 많은 작가나 철학자들에 의해 한 시대의 진실을 비추는 거울 장애로 그려지게 된다. 가령 많은 소설가가 일종의 편집증을 통해 전체주의 사회가 개인에게 미치는 악영향을 보여 주고자 했다. 이를테면 카프카의《소송》, 헉슬리의《멋진 신세계》, 오웰의《1984년》은 모두 이념적으로 잔혹성을 띠는 어떤 익명의 조직에 의해 만신창이가 된 가련한 주인공들을 보여 주고 있다. 결국 이 병 역시 개인의 문제에서 비롯된 것이 아닌 총체적 공포를 조장하며 인간의 육체와 정신을 통제하려고 시도하는 특정 정치 시스템에 대한 반응으로 발생한 것이다. 한편 더 최근에는 오늘날 모든 것이 흐름, 암호화, 암호 해독으로 환원된 정보화사회에 대한 정치적 진단을 내리기 위해 질 들뢰즈와 펠릭스

---

8 trouble opaque: 거울 장애trouble miroir에 반대되는 말이다. -역주

가타리 같은 철학자들이 정신분열증을 활용하기도 한다. 《안티 오이디푸스》의 소제목, '자본주의와 정신분열증'. 소제목부터가 이미 정신장애와 정치 조직이 서로를 비춰 주는 거울상처럼 기능한다고 생각하는 저자들의 인식을 여실히 보여 주고 있다. 두 저자는 이렇게 썼다. "과정으로서의 정신분열증은 욕망하는 생산production désirante이다. (중략) 그것은 우리 근대 인간의 '질병'이다."[9] 물론 질병을 이런 식으로 이용하는 것이 불편하게 여겨질 수도 있다는 점은 충분히 이해한다. 그러나 설령 저자들은 동의하지 않을지라도 그것이 68혁명 때 거리 축제로 구현된 어떤 욕망의 철학을 상징하는 메타포라고도 충분히 인식할 수 있을 것이다. 그런 경우라면 어느 정도 거부감이 줄어든다.

우울증은 문명병이 아니다. 우울증은 아무것도 반영하지 않을 뿐만 아니라 더 나아가 바닥없는 비극적 우물을 닮았다. 그러니 우울증은 아무것도 비춰 주지 않는 반투명 장애의 성질을 띤다. 물론 중증의 번아웃이 우울한 상태를 유발하는 것은 사실이다. 그래도 번아웃은 우울증과 구분해서 보는 것이 더 바람직하다. 물론 두 가지를 너무 무 자르듯 단칼에 구분하는 것은 신중한 태도가 아닐 수 있다. 그럼에도 두 질병을 가르는 여러 차이점이 존재한다는 것은 인정하지 않을 수 없다. 가령 미셸 델브룩은 두 질

9 G. 들뢰즈와 F. 가타리, 《안티 오이디푸스》, 파리, 미뉘, 1973년, 155쪽.

병의 가장 큰 차이점을 다음과 같이 지적했다.

> 번아웃의 경우, 처음에는 오로지 직업 세계에서만 문제가 나타난다. 반면 우울증은 흥미 상실이나 쾌감의 상실anhedonia(쾌락 불감증) 같은 증상이 가정생활은 물론 친구 관계나 여가 생활 등에서도 두루 나타난다.[10]

우울증은 누구나 무차별적으로 걸릴 수 있다. 반면 번아웃은 직무 환경과 관련해서만 발병한다. 번아웃에 견주어 우울증은 훨씬 더 아리송하고 이해하기 힘든 질병이다. 윌리엄 스타이런은 우울증을 주제로 전대미문의 에세이를 한 편 남겼다. 그 책에서 작가는 우울증에 대해 "건강한 사람은 일상에서 경험하기 힘든 형태의 고통이기 때문에 근본적으로 상상조차 하기 힘들다"고 설명했다.[11] 또한 진실과 용기로 한 자 한 자 꾹꾹 써 내려간 이 글에서 그는 비정상적인 생화학적 메커니즘을 통해 발생한 "그 고통이 얼마나 심각하게 내면화"되는지에 대해서도 지적한다. 우울증의 경

---

10 미셸 델브룩의 《어떻게 번아웃을 치료할 것인가》, 위의 책, 36쪽. 번아웃과 우울증이 차이가 있다는 사실을 다시금 강조하자면, 앤드류 솔로몬Andrew Solomon도 우울증에 대해 매우 세밀히 기록한 자신의 저서 《한낮의 우울*Le Diable intérieur. Anatomie de la dépression*(원제: The Noonday DEMON)》(파리, 알뱅미셸Albin Michel, 2002년)에서 마치 두 가지가 완전히 별개의 세계라도 되는 양 번아웃에 대해서도, 직업 세계에 대해서도 아무런 언급을 하지 않았다는 점을 유념하자.

11 윌리엄 스타이런, 《보이는 암흑. 광기에 대한 기억》, 위의 책, 33쪽.

우 극도의 상실감, 자존감의 결여, 죄의식 따위가 번아웃의 경우와는 상대도 되지 않을 정도로 극심하게 나타난다.

우울증이 거울 장애는 아닌 것이다. 거울 장애라면 아마도 현 시스템의 특징을 반영하고 있어야 마땅할 것이다. 우울증은 오히려 암흑과 절망의 거처라고 할 수 있다. 어떻게든 그곳을 통과해 다시 빠져나와야만 한다. 그리하여 윌리엄 스타이런이 글 말미에 옮겨 놓았던 단테의 이 말을 읊조릴 수 있을 때까지. "E quindi uscimmo a riveder le stelle."(그래서 우리 빠져 나왔도다, 다시 한 번 별을 보게 되었노라.) 그러나 그런 불투명성에도 불구하고 우울증은 어떤 의미를 획득하고, 거울처럼 현실의 일부분을 반영할 수 있었던 것이 분명하다. 설령 그것이 어떤 보편적인 내용의 진리를 확인시켜 주는 것에 불과할지라도 말이다. 스타이런도 우울증에 이런 성격을 부여했다.

> 예술과 과학 분야의 노력으로 틀림없이 우울증의 의미가 선명하게 재현될 날이 올 것이다. 우울증을 경험했던 사람들에게 우울증의 의미는 이 세계의 모든 악의 모사품처럼 느껴진다. 일상생활에서의 불협화음, 혼란, 불합리, 전쟁, 범죄, 고문, 폭력, 죽음을 지향하는 충동과 죽음으로부터의 도피 등 견딜 수 없는 역사의 모습과 닮아 있다.[12]

여기 나온 이미지들은 분명 모든 시대와 모든 대륙을 초월한 보편성을 지니고 있다.

그러나 어쨌든 '문명병'이라는 표현은 개인별로 다르게 나타나는 뇌의 생화학적 메커니즘이나 병이 발발하는 개별적 과정에 대해서는 아무것도 설명해 주지 않는다는 심각한 결점이 있다. 따라서 의학이나 정신 질환의 영역에 속하는 어떤 개별적 시각을 통해 이를 보완해야 한다. 한편 문명병의 모호한 특성은 그뿐만이 아니다. 문명병이란 때로는 문명이 아프다는 뜻으로 쓰일 수 있지만, 또 때로는 문명 때문에 우리가 아프다는 뜻이 되기도 한다. 한쪽이 사회에 방점을 두고 있다면, 다른 쪽은 개인에 초점을 맞추고 있다. 가령 사회학자라면 사회가 개인의 정신에 침투했다고 평할 테고, 심리학자라면 개인이 외부의 압력을 수용하는 데 어려움을 겪고 있다고 주장할 것이다.

이 두 가지 관점은 각자 반쪽짜리 진실에 불과하다. 그러나 철학적 시각은 그와는 다른 제3의 관점을 제시해 준다. 가령 양자의 중간, 즉 개인과 사회 사이, 한마디로 양자의 '관계'에서 벌어지는 일들에 주목할 것을 권한다. 개인과 사회라는 두 존재는 함께 진화한다. 만사는 양극의 작용으로 이뤄진다. 이런 시각에서 세상을 바라보면, '문명병'의 의미는 좀 더 명확해진다. 문명병이란 관

12 같은 책, 127쪽. (《보이는 어둠》, 문학동네, 임옥희 역 참조.-역주)

계의 질병을 의미하는 것이다. 이 경우 책임은 오로지 개인 혼자에게만 돌아가지 않는다. 모든 원인을 오로지 개인의 뇌 기능이나, 개인의 정신세계 탓으로만 돌릴 수는 없다. 마찬가지로 모든 문제의 책임을 사회라는 추상적 존재에게만 돌리지도 못한다. 그것은 너무도 과장된 주장일 것이다.

크리스토프 드주르는 성과 노동의 관계에 대해 쓴 한 연구 논문에서 이 두 가지 해명 사이의 딜레마를 아주 정확하게 짚어 냈다. 그에 따르면 어떤 사람들은 사회를 "악의적이고 이기적인 거인"으로 인식한다. 사회에 "무의식적 욕망과는 비교도 되지 않을 정도로 거대한 권력"[13]을 부여하는 것이다. 그러면 사회는 강제하고, 강압하고, 더 나아가 심리적으로 고문까지 할 수 있는 능력을 갖추게 된다. 사회는 권력 기구가 된다. 모든 명령에 대해 유해한 병균을 품은 존재가 된다. 반면 그에 비해 개인은 "별다른 수단 없이 무방비 상태에 놓인 어린아이"와 같다. 드주르에 따르면 스트레스와 공격성을 문제 삼는 것이 바로 이러한 모델이다. 반면 또 다른 모델에서는 그와는 정반대로 사회가 아닌 개인을 비대한 존재로 생각하는 오류를 범한다. 왜냐하면 이 모델에서는 사회를 비교적 중립적인 존재로 보기 때문이다. "사회는 그저 사회에 불과

13 드주르가 엮은 《노동 심리 질환에 관한 임상 관찰*Observations cliniques en psychopathologie du travail*》(파리, PUF, 2010년)에 실린 드주르 본인의 글 '노동의 중심성과 섹슈얼리티 이론Centralité du travail' et théorie de la sexualité', 86쪽.

할 뿐이다. 사회는 모든 이들에게 전부 똑같은 그냥 사회일 뿐이다." 다시 말해 사회에게 책임을 지울 수 없다는 이야기다. 사회에 책임이 있다면 모든 이들이 전부 똑같은 병리적 징후를 보여야만 할 것이기 때문이다. 그러니 정신적 외상의 원인은 개인, 즉 개인의 나약함, 신경증, 내적 갈등에만 있다고 여겨진다. 심지어 노동의 문제 때문에 고통을 호소할 때에도 노동이 원인으로 간주되지 않는다. 노동의 조건에 관심을 기울이는 대신, 모든 관심을 개인사의 영역으로 돌린다. 드주르는 두 가지 상반된 태도에 대해 다음과 같은 결론을 맺는다.

> 두 접근법은 각자 다 이점이 있다. 비록 노동하는 자(혹은 노동하지 못하는 자)의 고통과 병이 개인과 사회 중 그 누구의 책임인지는 분명히 밝혀낼 수 없지만 말이다.[14]

이런 인식론적인 차원의 문제에 대해 얼핏 보면 훌륭한 해법이란 존재하지 않는 것처럼 보이기도 한다. 오로지 길은 두 가지밖에 없다고 여겨지는 것이다. 첫째, 편파적이지만 양쪽 중 한쪽에게만 책임을 전가하는 방법이다. 아마 이런 것을 '선형적인' 이론이라고 부를 수 있을 것이다. 여러 힘들이 시작되는 지점을 알고 있다

---

14 같은 책, 87쪽.

면, 그 원인과 결과를 판별할 수 있을 것이다. 그런가하면 아예 명쾌한 결론을 내리지 않는 방법도 있다. 다양한 요인을 분석할 때에만 상황의 복잡성을 제대로 이해할 수 있다고 간주하기 때문이다. 아마도 지적인 측면에서는 후자의 방법론이 더 정직하다고도 볼 수 있을 것이다. 그러나 때로는 좀 더 명확하게 책임자를 찾아내고 싶은 마음이 들 때도 있다. 그런 의미에서 '관계적 측면'을 고려한 철학적 차원의 접근법은 유익한 논의를 가능하게 해 준다. 철학적 시각에서 본다면 거울 장애와 문명병의 문제는 개인과 사회의 '관계'에 있다. 그리고 그런 관계를 구축하기 위해서는 두 존재가 모두 필요하다.

관계 장애는 두 존재 변화 사이의 갈등을 의미한다. 두 존재는 서로 겹치거나 뒤섞이는 과정을 통해 변형을 겪는다. 대부분의 번아웃 환자의 경우 개인과 일, 사회적 가치 따위가 서로 밀접한 관계를 맺고 있음을 확인하는 건 매우 유익한 일이다. 사실상 이 장애는 사회에서 소외된 자, 무정부주의자로 자라날 싹을 보이는 자—비록 그들이 미래의 무정부주의자들이 되기는 하겠지만—가 걸리는 게 결코 아니다. 오히려 현실에 더없이 훌륭하게 적응해 살아가는 이들, 일도 있고, 가족도 있고, 기성 가치관을 공유하는 자들이 쉽게 앓는 질병이다. 가령 사회를 '사랑'하거나 혹은 '사랑하는 것처럼 보이는' 개인, 그래서 사회에 온 에너지를 쏟아붓는 사람들 말이다. 오히려 그들은 성실하고 의욕에 넘치는 모범생들이다. 그들은 또한 사회 · 심리적 관계도 탄탄하다. 그들은 대개 개인의 발전이 사회적, 직업적 성취에 의해 이뤄진다고 믿고 있으며 자신이 사회에 반드시 필요한 존재라고 인식한다. 그들은 또한 이상적인 인간관계를 맺으며 살고 있다. 그러나 참으로 아리송하게도 어느 날 느닷없이 이러한 관계에 균열이 일어난다. 가령 예전에는 잡지 기사에 행복한 커플로 소개되었던 소문난 잉꼬부부가 어느 날 돌연 각방을 쓰는 불행한 사이로 관계를 마감하게 되듯이 말이다.

불이라는 상징으로

포스트모던 시대는 개인과 세계의 관계를 불이라는 상징으로 바꾸어 놓았다. 불씨를 회향나무 가지에 감추어 신에게서 훔쳐 낸 프로메테우스의 후예인 인류. 이 기술자 인류는 인간의 모든 활동에 연소 과정을 도입한다. 가령 인류는 환한 빛을 얻기 위해 석유를 태우고, 가스와 석탄을 연소시키고, 원자를 분열하고, 금속을 끓이며 물질을 변환한다. 인간이 사용하는 전기, 전자, 파동은 알고 보면 모두 열원의 변형이라는 에너지 현상에 바탕을 둔 것이다. 온실가스, 대기 오염, 지구온난화 등도 전 세계적으로 연소 과정을 통해 생성된 수 메가와트의 에너지 때문에 발생한다.

진정한 '불의 딸'은 바로 우리의 문명이다. 우리의 문명은 공기, 물, 대지(흙)는 오염시켰을지언정, 불만은 유일하게 더럽히지 않은 채 남겨 놓았다. 더욱이 생태주의란 것이 대체 무엇인가. 그것은 총체적 연소를 상대로 한 소송에서 반드시 제기되는 세 가지 오염원소의 보존과 관련한 변론이 아니던가. 불의 위험성은 두려워하면서도 공기, 물, 대지는 재활용해야 한다고 여기는 '생태적 사고'는 참으로 타당하게도 기술 문명의 특징이 화염과 연기에서 최대한의 이익을 끌어내는 것이라고 구구절절 옳은 소리를 한다. 오늘날 공기와 물, 대지는 위험을 피할 수 없는 처지임에도, 불만은 어엿한 지배자로 군림하고 있는 것이다. 불은 우리가 태울 것을 주면 그것들을 모두 불태운다. 엔진을 돌리고 컴퓨터 전력을 공급하기 위해 지구의 화석층을 쉴 새 없이 파헤친다. 불은 얼마나 탐욕적인지 모른다. 언제나 새로 태울 만한 것을 달라고 줄기차게 요구한다.

그렇게 새로 태울 만한 연료 중 하나로 등장한 것이 바로 인간의 정신이다. 흔히 사람들은 세상에서 유일하게 확신할 수 있는 건 오로지 우연뿐이라고 말한다. 그런데 번아웃이 등장한 사회가 바로 불의 사회라는 이 우연한 사실은 상당히 인상적이다. 놀랍게도 번아웃과 불의 사회, 이 두 가지 모두에서는 연소 과정이 진행되고 있기 때문이다. 앞서 살펴본 것처럼 프로이덴버거는 번아웃을 일종의 '화재'로 표현했다. 게다가 치유의 가능성을 설명할 때에도 똑같이 불의 은유를 사용했다. "화재가 나더라도 잉걸불은 남기 마련이다. 이 잉걸불을 이용하면 죽었던 불씨를 되살릴 수 있다." 말하자면 사방 천지가 불의 천하인 셈이다.[15]

프로이덴버거는 '번아웃'이라는 표현을 사용함으로써 옛 전통의 계보를 잇는 동시에 다른 한편으로는 그 전통을 변질시켰다. 내면의 불이 과거에는 자기 극복을 가능하게 해 주는 신성한 힘이었는지 몰라도 이제는 파괴하는 불로 바뀔 수 있다는 사실을 확인시켜 준 것이다. 이처럼 불의 의미가 변질된 것은 포스트모던 시대에 이르러 일어난 단절적 변화를 잘 보여 준다.

전통적으로 내면의 불은 선택받은 자들의 특권이자, 그들의 열정과 권력의 비밀스러운 원천이었다. 내면의 불은 인간이 정화와 계시를 통해 신을 영접하는 매개였다. 단테의 《신곡》에서도 내면의 불은 지복을 누리는 자들만의 전유물로 나온다. 신이 다른 신성한 존재들과 함께 군림하고 있는 곳, 천사들이 9개의 불의 고리를 이루고 있던 곳도 순수한 빛의 천국, 지고천(엠피레오)[16]이 아니던가. 물론 영벌에 처해진 자들도 불의 시험을 겪기는 마찬가지다. 그러나 그것은 내면의 불이 아닌 외부의 불이다. 자연을 훼손한 자에게는 불비, 예술을 훼손한 자에게는 불꽃이 내려지는 것이다.

불교에서도 역시 내면의 불은 육체의 사멸로 이르는 '반야, 깨달음illumination'을 의미한다. 《상응부 경전》에는 이런 말이 적혀 있

15 프로이덴버거, 위의 책, 22쪽.
16 단테의 《신곡》에서 천국은 제1천부터 제10천(엠피레오, 지고천)까지 나뉘어 있다. -역주

다. "나는 내 안에 불을 지핀다. 내 마음은 아궁이요, 불꽃은 길들여진 나다."[17] 말하자면 불의 징벌, 불의의 사고로 간주되는 외부의 불은 두려움의 대상일지 몰라도, 내면의 불만은 매우 소중한 존재로 인식되는 셈이다. 반면 번아웃의 경우에는 이 내면의 불이 문제와 동의어처럼 간주된다. 현대에 이르러 내면의 불에 함의된 의미가 철저히 뒤바뀐 셈이다.

불꽃은 더할 나위 없이 훌륭한 모순이다. 그것은 괴테가 음악에 대해 말했던 것처럼 "언제나 항상 부인하는 정신"이다. 불꽃은 불꽃일 뿐이지만 무수한 변신을 통해 무한히 변화한다. 가스통 바슐라르는 《불의 정신분석》이란 책에서 우리에게 불의 숭배에 대한 백일몽을 선사한다. 그에 따르면 변화의 상징인 불은 실로 다양한 정신적 의미를 내포한다.

> 불은 정녕 모든 현상 가운데 선과 악이라는 두 가지 상반된 가치를 분명히 수용할 수 있는 유일한 현상이다. 불은 낙원에서는 눈부시게 빛나고, 지옥에서는 활활 타오른다. 불은 온화함이기도 하지만, 동시에 고문이기도 하다. 불은 부엌이기도 하고, 세상의 종

---

17 《상응부 경전*Symyuttanikâya*》, 1, 169. 〈상징 사전*Dictionnaire des symboles*〉(J. 슈발리에 Chevalier와 A. 게에르블랑트Gheerbrant, 파리, 로베르라퐁, 1982년)에서 인용. (《상응부 경전》(상윳타 니카야)은 《잡아함경》이라고 한역되는 초기 불교 경전이지만, 원본과 번역본이 완전히 일치하지는 않는다고 한다.-역주)

말이기도 하다. 화롯가에 얌전히 앉아 있는 어린아이에게 불은 즐거움을 선사한다. 그러나 너무 가까이서 불꽃을 가지고 놀려 할 때는 모든 불복종 행위에 가차 없는 형벌을 내린다.[18]

불처럼 정열적이고 따뜻한 성질을 지닌 매력적인 인간의 경우 불의 열기는 그의 정신세계나 위대한 계획, 열정 등에 불을 지펴 준다. 내면의 불은 사람들에게 열기와 에너지를 제공한다. 내면의 불은 영혼의 불씨이자, 영적 자극의 촉매제이며, 또한 우주적 욕망의 본거지다. 내면의 불은 변화하려는, 시간을 거스르려는, 삶을 활활 불사르려는 욕망들을 자극한다. 그것이 바로 불의 위대함이다. 반면 불은 때에 따라 위험한 성질을 띠기도 한다. 왜냐하면 변증법적인 성격을 지니는 불은 정반대의 존재로 쉽게 모습을 둔갑하기 때문이다. 자신을 반박하고 싶다면 그저 자신을 불태워 보는 것만으로도 충분하다. 열정은 무엇인가를 뜨겁게 달구지만, 동시에 무엇인가를 불살라 버리기도 한다. 은은한 빛은 주변을 환히 비추어 주지만, 너무 강렬한 빛은 존재의 눈을 멀게 한다.

어떤 감정이 불의 강도로 활활 타오르는 순간, 그것이 강렬하

---

18 G. 바슐라르Bachelard, 《불의 정신분석*Psychanalyse du feu*》, 파리, 갈리마르, 1949년, 24쪽.

게 불의 형이상학에 노출되는 순간, 우리는 그것이 곧바로 많은 반대 감정들을 축적할 것이라는 사실을 확신한다.[19]

강렬함은 이내 수그러든다. 불태우던 존재는 새로운 모습으로 변형된다. 존재는 차갑게 냉각된다. 단조롭고, 무미건조하고, 열의 없는 존재로 뒤바뀐다. 불은 이처럼 고통스러운 양면성을 지닌 원소이다.

불이 지닌 양면성은 다른 한편으로는 번아웃이 지닌 양면성이기도 하다. 내면의 불, 열의를 지닌 자들의 숭고한 열정은 오늘날 정신의학의 보살핌을 받는 처지로 전락했다. 이제 숭고한 열정은 자신을 표출할 수단을 잃었다. 기술지상주의에 기초한 현 글로벌 시스템은 내면의 불과는 완전히 정반대의 성격을 지니기 때문이다. 현 시스템의 정서적 온도를 표현할 때 가장 먼저 머릿속에 떠오르는 단어는 아마도 '차갑다'일 것이다. 도구적 이성은 정서적 온기와는 멀찍이 떨어진 차갑기 그지없는 정확성 속에서 구축된다.

최근 독일의 극작가 팔크 리히터는 컨설턴트들의 세계를 다룬 작품 한 편을 썼다. 특히 작가는 나이가 많고 현실에 잘 적응하지 못하는 한 감수성 예민한 실직 위기의 컨설턴트를 중점적으로 다

19 같은 책, 190쪽.

루고 있다. 《얼음 아래서》라는 이 연극의 제목은 사실상 현 시스템의 또 다른 이름이다. "얼음 아래에, 차갑게. 모든 것이 얼음 아래에 있다. 아무것도 움직이지 않는다. 모든 게 정지했다. 저체온증에 걸린 듯이 꽁꽁, 꽝꽝 얼어붙었다."[20] 이 작품의 극 중 인물들은 모두가 하나같이 객관적이고도 엄밀한 정확도로 숫자, 신념, 경제 논리, 순수 이론, 불굴의 의욕, 준엄한 일관성 등으로 버무려진 그들의 진실을 강요한다. 반면 "새 출발을 하기에는 너무도 늙었지만, 또 순순히 패배를 시인하기에는 아직도 너무 젊은"[21] 우리의 가련한 주인공 파울 니만트Paul Niemand는 얼음장 같이 차가운 정신에 깊은 상처를 입고 고독 속으로 침잠한다. 이런 극단적인 이야기를 통해 팔크 리히터는 문제의 본질을 예리하게 꿰뚫어 보고 있다. 그렇다. 어떤 이들은 얼음 아래서는 살 수가 없다. 그들은 무자비한 독재에 절대 무릎을 꿇을 수 없다. 그들은 결국 무너진다. 그들 내면의 불은, 깊은 열망은, 너무도 오랫동안 억눌린 나머지 끝내 자기 자신을 해하고 만다. 그것을 리히터는 '블랙아웃'이라고 표현한다.

---

20 팔크 리히터Falk Richter, 《얼음 아래서*Sous la glace*(원제: Unter Eis)》, 파리, 라르슈 에디퇴르L'Arche Éditeur, 2008년, 91쪽.

21 같은 책, 94쪽. 직업 세계를 다룬 또 다른 훌륭한 소설 《인간 문제*Question humaine*》(파리, 스톡, 2000년, 71쪽)에서 작가 프랑수아 에마뉘엘François Emmanuel은 등장인물에 대해 '얼어붙은 광기'라는 표현을 사용한다. 이 얼음 아래 웅크린 광기는 조만간 고삐가 풀려 존재 전체를 태워 버릴 것이다.

현대의 모든 역설은 열정의 가치를 지나칠 정도로 중시한다는 데 있다. 내면의 불을 불사르며, 인간을 신의 경지로 끌어올려 주는 저 강렬한 열정을 경험하고 싶다는 욕망이 이제는 어느 잡지 '건강'란에까지 등장할 정도로 몹시도 대중화되었다. 과거 이카로스는 홀로 추락했다. 그러나 지금은 영웅적 위업이 집단의 일이 되어 버렸다. 날개가 불타는 경험은 옛날에는 일부 특별한 인간, 유한한 보통 인간의 운명을 벗어난 신의 경지에 이른 인간, 비범한 운명의 대가를 치를 마음의 각오가 된 자들만이 겪는 결코 흔치 않은 일이었다. 그토록 가까이 태양에 다가선다는 것은 오로지 비극적 영웅들만이 용기를 낼 수 있는 일이었다. 벨기에 왕립미술관에 소장된 브뤼겔의 작품 중에서 가장 아름다우면서도 또한 가장 허황된 작품, 〈이카로스의 추락이 있는 풍경〉. 그것이 의미하는 바도 바로 그것이다. 이 그림의 한쪽 끄트머리에는 홀로 추락해 바다에 빠진 이카로스가 등장한다. 그러나 어디서도 비명은 들리지 않는다. 그 누구도 그가 아버지를 부르는 소리를 듣지 못한다. 모든 이들은 그의 추락에 무관심하다. 오로지 깃털 몇 개만이 좀 전의 비극적 상황을 고요히 암시하고 있을 뿐이다. 근방에 있던 어부도 커다란 인간 새가 바다에 빠지는 것을 미처 알아채지 못한다. 그림 앞쪽에 보이는 소매가 불룩한 붉은색 상의를 입은 남자도 아무런 일 없다는 듯 열심히 밭만 갈고 있다. 목동도 태양의 비극 따위에는 관심 없이 그저 일상적이고 세속적인 근심에만 갇힌 채 시선을 다른 데로 향한다. 이 위대한 플랑드르 화가는 오비디우스의 작품[22]에서도 영감을 얻었다. 그러나 그의 작품에서는 발견되지 않는 브뢰겔만의 교훈이 있으니, 그것은 바로 열심히 일하라, 그리고 설령 무분별한 자들의 날개가 불에 타더라도 그냥 모른 척 내버려 두라는 것이다. 이런 철학은 최근 부활한 신스토아주의가 표방하는 것처럼 무심함과 초연함을 자양분으로 삼는다. 영웅들은 자신의 과도함에 대한 대가를 혼자서 짊어진다. 그들의 과열은 밭이나 바닷가에 있는 하층민의 관심을 전혀 끌지 못한다.

그러나 현대에는 이러한 무심함이 더는 허용되지 않는다. 날개가 불타는 건 이제 우리 사회 모두의 일이 되었다. 때로는 이 질병을 사회보장제도가 담당할 정도다. 과도함은 더 이상 한 개인의 일이 아니다. 그것은 집단의 일이다. 과도함으로 날개가 불타는 건 평범한 일이다. 태양 곁, 다시 말해 권력과 황금의 곁에 다가서기 위해, 아니, 더 간단히 말해 이 과열 시스템에 동참하기 위해 수많은 이들이 피로와 추락으로 내몰리고 있다. 이카로스는 더 이상 혼자가 아니다. 모든 사회가 단 한 번도 제대로 된 이름으로 명명된 적이 없는 어떤 태양을 향해 다가가기 위해 몸부림치고 있다.

---

22 화가는 오비디우스의 《변신 이야기》 속에 나오는 이카로스에 관한 이야기로부터 영감을 얻었다. -역주

설령 그로 인해 크나큰 대가를 치러야 할지라도 말이다.

그러나 대체 그 태양이란 것이, 태양에 가까이 다가서는 행위란 것이 의미하는 바가 무엇인가? 그것은 혹 소비와 생산이 가장 위대한 위업이 되어 버린 이 얼빠진 시대에 슬로터다이크가 "과도함의 신성한 불"[23]을 되살리려는 마음을 담아 저술한 한 대작에서 언급하였던 바로 그 수직주의verticalism[24]를 의미하는 것은 아닐까? 오늘날 고행자, 성인, 현인, 철학자, 예술가, 대가를 비롯한 과열과 광기와 망상의 위험에 노출되는 일을 업으로 삼고 있는 자들은 이제 과도함에 대한 독점권을 잃어버렸다. 과거 인간의 운명을 짊어진 자들은 현대의 눈부신 발전을 더 이상 따라가지 못한다. 그러나 우리가 새로운 발전의 길을 이끌 것이라 기대를 걸 수 있는 대상은 바로 그들이다.

번아웃, 개인에게 오히려 해를 입히는 시스템의 과열은 현대에 등장한 질병이다. 인간을 해하는 이 질병은 지구 역시 감염시키고 있다. 인간을 소진시키듯 지구도 고갈시키고 있다.

번아웃은 일종의 '불균형'을 의미한다. 그렇기에 우리가 개인적인 측면은 물론 좀 더 총체적인 사회적 차원에서도 균형의 의미를

---

23 슬로터다이크 《그대는 그대의 삶을 바꿔야만 합니다*Tu dois changer ta vie*(원제: Du mußt dein Leben ändern)》, 파리, 마렌 셀Maren Sell, 2011년, 576쪽.

24 슬로터다이크는 현 시스템의 수평성horizontality에 빠진 인간이 하루 빨리 수직성verticality에 대한 열정, 말하자면 초인이 되려는 수직 상승의 의지를 되찾아야 한다고 주장했다. -역주

깊이 성찰할 때에만 비로소 어떤 현실성 있는 해법을 마련할 수 있을 것이다.

줄타기 곡예사의 선언

번아웃에 대한 연구는 세상을 바꾸기에 너무도 무력한 언어의 힘 앞에 깊은 좌절감을 불러일으킬 수도 있다. 철학자가 가진 것은 오로지 언어와 관념뿐이니 말이다. 사실 이 복잡한 현대사회에서 그런 것들은 아무런 힘을 발휘하지 못한다. 어찌 사상만으로 기술, 경제, 인구가 현 과도함의 세태에 미치는 영향을 무력화할 수 있겠는가? 기술적 수단은 끊임없이 확대되고, 이윤에 대한 탐욕은 매번 더 높은 수익성을 지향하며, 세계 시장에는 매일 같이 새로운 소비자들이 합류하고 있다. 현 시스템은 일종의 극대화를 자양분으로 삼아 번성하고 있다. 언제나 더 많은 물건, 더 많은 돈, 더 많은 교류, 더 많은 유락에 기초하고 있는 것이다. 그것이 바로 우리 사회의 현주소다. 우리의 사회는 자본화를 바탕으로 한 성장 논리에 근거하고 있다. 그런 논리에 견주어 보면 철학이란 한없이 가소로운 활동으로밖에는 느껴지지가 않는다.

"인류는 비극을 좋아한다." 베르그송은 말했다. 그러니 인류를 도취시키는 이 광적인 논리도 어쩌면 한동안은 계속 지속되지 않을까 싶다. 20년 뒤에는 국제 경쟁에 따른 경제 규제 완화로 지금도 너무나 무시무시하게 느껴지는 어떤 잔혹한 경영 기법이 아예 보편화될 날이 찾아올 수도 있을 것이다. 그리하여 한층 더 효율적인 통제 수단을 통해 노동에 대한 압박이 한층 더 심화될 수도 있을 것이다. 분명 현대사회에는 그러한 잠재적 씨앗이 존재한다. 그러나 단지 몇 마디 말로 그런 잠재적 씨앗을 완전히 뿌리 뽑기란 불가능하다. 왜냐하면 우리는 도무지 정체를 알 수 없는 어떤 논리의 지배를 받고 있기 때문이다.

만일 정체가 조금만 더 분명했더라면 아마도 번아웃이 아닌 투쟁이 벌어졌을 것이다. 적을 지목하고, 책임자를 가려낼 수 있었을 것이다. 그러나 포스트모던 시대는 다른 모든 주요 시대들이 그렇듯 고도의 모호성을 특징으로 한다. 그러니 어떤 흑백논리도 통하지 않는 것이다. 기술과 경제에 대한 비판은 이 문명병을 해결하기 위한 그다지 좋은 해법으로는 보이지 않는다. 우리가 사는 세계의 일부 경이로운 면들은 오히려 그런 기술과 경제의 발전에 힘입은 바가 크기 때문이다. 이성과 자연의 결합으로 일궈 낸 놀라운 업적을 의미하는 기술은 가령 첨단 의학이 가장 좋은 예를 보여주듯이 인류의 오랜 이상향들을 현실로 실현시켜 주었다. 무엇보다도 빈곤 퇴치를 통해 경제적 발전이 이루어졌고, 그 덕분에 인간은 더욱 존엄한 삶을 살 수 있는 길이 활짝 열렸다. 사실 인류가 스스로 만들어 낸 도구나 수단 때문에 병을 앓게 되었다고 생각하는 건 너무도 단순 무식한 발상이다. 오히려 전 세계 인구가 80억 명에 달하는 오늘날 인류에게는 그 어느 때보다 도구와 수단이 절실한 상황이다. 진정한 문제의 근원은 발전의 논리에 내재된 과도함이다. 과도함으로 인해 발전이란 것이 두 번 다시 돌이킬 수 없는 어떤 양면적인 성격을 띠게 된 것이 문제다.

철학자가 자신의 책이나 관념으로 할 수 있는 일이 대체 무엇일까? 어떻게 하면 깊은 좌절감에서 벗어날 수 있을까? 번아웃의 치유 과정에서 살펴본 바와 같이 철학자도 역시 자신에게 가장 중요한 것, 자신의 본질에 가장 충실한 것에 다시금 집중해야만 한다. 왜냐하면 프레데릭 봄스[25]가 말한 '다시 사는 것'[26]이 분명 가능하기 때문이다. 단, 인간이 어떻게든 변화를 도모하고, 유해한 믿음과 압박에서 벗어날 만한 수단을 찾아낼 수 있다면 말이다. 때로는 이기주의가 이로울 때도 있다. 때로는 '도망가는 것도 용기!'[27]라는 들뢰즈식의 태도가 필요하다. 비록 도망가는 이유가 다른

---

25 Frédéric Worms: 프랑스의 철학자. -역주

26 프레데릭 봄스, 《다시 살기*Revivre*》, 파리, 플라마리옹, 2012년.

27 들뢰즈는 탈주를 부정적 도피나 도망이 아닌 세계의 선차적 운동으로 인식한다. -역주

곳에 가서 좀 더 평온하게 우리의 욕망을 표출할 수 있는 조건을 재창출하기 위한 것일지라도 말이다. 사실 '성공적인' (상황을 좀 덜 비관적으로 표현할 수 있을 만한 어휘를 사용하자면) 번아웃은 변신으로 귀착되기 마련이다. 이 경우 인간은 자신에게 의미를 부여해 주던 것과 다시 연결되고, 행복하다고 분명 말할 수 있을 만한 어떤 재회의 순간을 맞이할 수 있다.

자신에 대한 충실함은 철학에서도 매우 중요한 의미를 갖는다. 아직까지는 아무리 설익은 개념에 불과할지라도 우리는 항상 더 나은 삶을 성찰하기를 멈추지 말아야 한다. 오늘날 가장 혼란스러운 점은 이 시대가 물질적으로는 가장 풍요로우면서도 정작 의미나 정신성 면에서는 가장 척박하다는 사실이다. 그렇기 때문에 아무리 미약한 수준에 불과할지라도 하루빨리 재건[28]의 사상을 정립하는 일이 무엇보다 시급하다.

여기서 두 가지 중대한 개념에 대해 거론하지 않을 수 없다. 그것은 바로 균형과 협약이다.

균형이란 대체 무엇인가? 넘어지지 않고 불균형한 상태를 계속 유지하는 능력이 아닐까? 균형이란 일종의 시간과 비슷하다. 무엇인지는 알지만 정확히 규정하기는 힘든 무엇이다. 우리는 흔히 어떤 것이 결핍될 때에야 비로소 그것의 의미에 대해 의문을 갖기

---

28 reconstruction: 포스트모던의 해체에 반대되는 개념.-역주

시작한다. 가령 다리가 부러진 뒤에야 비로소 보행이라는 그 오묘한 기적에 대해 관심을 갖는 것과 비슷하다. 그때가 되면 비로소 온갖 의문이 꼬리에 꼬리를 물고 이어진다. 우리가 보행에 대해 더 많은 것을 사유할수록, 수십 제곱센티미터 넓이의 발바닥을 땅에 딛고 선다는 것이 얼마나 힘든 일인지를 불현듯 깨닫게 되는 것이다.

마찬가지로 누군가의 균형이 깨어질 때, 매일 아침 지하철을 타고 출근하는 것이 이제는 견딜 수 없는 일이 되어 버릴 때, 비로소 갖가지 의문들이 떠오른다. 명백한 것들에 대해 별안간 문제를 제기하게 되는 것이다. 회사를 위해 자신의 삶을 바치는 일이 예전처럼 당연하게 여겨지지 않는다. 어처구니없는 노동 시간을 감내하는 일이 터무니없는 짓이 되어 버린다. 하지만 기존의 균형이 아무런 생각 없이 구축된 것이라면, 이전에 노동이란 것이 보행만큼이나 자연스러운 것이었다면, 이제 새로운 균형을 찾기 위해서는 어떻게 해야만 하는 것일까? 어떻게 해야 예나 지금이나 끄떡도 하지 않는 이 사회가 이 새로운 균형을 수용하게 만들 수 있을까? 이것이 바로 번아웃 이후의 질문이다. 새로운 삶의 단계를 구성하는 문제다.

인간은 두 가지 종류의 서로 상반되는 균형을 조화시키기 위해 노력한다. 첫째, 신체의 영역에 속하는 '직관적 차원의 균형'이다. 말하자면 너무 많거나 혹은 너무 적은 피로, 음식, 활동 사이에서 중용을 찾는 일이다. 우리의 몸은 아주 이례적인 경우에나 극단적인 것을 좋아한다. 왜냐하면 인간의 몸은 충동적인 열광을 피하고 싶어 하고, 강박적인 노력을 두려워하기 때문이다. 이런 종류의 조화는 직관적 차원에 속한다. 그런데 직관이란 개인마다 다르게 나타나기에 어떤 이들은 조기에 메시지를 포착하기도 하지만, 또 어떤 이들은 위험 경보가 요란하게 울린 뒤에야 비로소 메시지를 이해하는 것이다. 육체적인 것이 약화된 우리 사회에서는 종종 요가나 운동, 느긋한 생활을 통해 신체의 직관적 균형을 되찾는 것이 인간에게 유익한 일이 될 수 있다.

이런 종류의 균형만 있다면 아마도 삶은 천국과도 같을 것이다. 가령 고대 그리스인들처럼 영혼의 목소리에 귀를 기울이고, 운동을 하고, 목욕을 하는 것만으로도 인간은 충분히 행복해질 수가 있을 것이다. 그들은 현대인과는 달리 행복과 그다지 멀리 떨어져 살지는 않았던 것처럼 보인다. 사실 그들이 철학을 발명한 것은 행복을 찬양하기 위해서였다. 행복이 인간의 곁에 가까이 존재한다는 사실을 보여 주기 위해서였다. 그러나 실제로 현대인의 삶은 그보다는 훨씬 더 복잡하다. 왜냐하면 우리는 '직관적 차원의 균형'말고도, '규범적 차원의 균형'과도 조화를 이뤄야 하기 때문이다. 사회인으로 살아가기를 원한다면, 때로는 개인의 직관일랑 잠시 내려놓고 집단의 규범을 존중할 줄 알아야 한다. 이때 개인의 직관은 새로운 균형을 찾아내려고 시도한다. 설령 이번에는 자신의 목소리를 경청하기 위한 것이 아니라 타인이 강요하는 법칙을 준수하기 위한 것일지라도 말이다.

사회를 거대한 인체 기관으로 본 고대의 메타포는 직관적인 것과 규범적인 것 사이에 어떤 연결고리가 존재함을 보여 준다. 가장 이상적인 형상은 개인이 자기를 부인하지 않는 동시에 집단의 일원으로 참여하는 것이다. 그러나 현실은 그보다 더 복잡하다. 오늘날 인간은 자신을 잊어버리고, 자신의 직관과 의지를 잠시 내려놓아야 할 때가 너무도 많다. 인간은 자신의 노동력을 팔아 살아간다. 그리고 우리는 그런 인간에게 훨씬 더 우월한 균형에 복종하며 그 균형을 교란하지 않기를 기대한다.

인간은 자기 자신에게 충실한 동시에 자신과는 완전히 다른 목표를 지닌 사회에 편입하기 위해 투쟁한다. 많은 이들의 경우 이런 인간적 투쟁을 결심하는 것을 시초로 비로소 진정한 자기 성취에 이르기도 한다. 사회는 개인 혼자 힘으로는 누릴 수 없는 무수한 혜택을 선사하기 때문이다. 그럼에도 문명병의 존재는 그것이 항상 쉬운 일은 아니라는 사실을 여실히 증명한다. 어떤 이들에게는 자신을 잊고 복종하는 것이 도저히 상상조차 하기 힘든 일이기 때문이다. 오늘날 이런 종류의 장애가 속출하는 것은 과거와는 비교할 수 없을 정도로 직관과 규범 사이의 간극이 크게 벌어졌기 때문이다. 개인의 균형과 사회의 균형 사이에 조화를 이루고자 했던 고대의 이상은 이미 사라진 지 오래다.

우리는 직관적 균형의 장례를 치르고 있는 중이다. 아리스토텔레스는 직관적 균형을 중용의 추구로 정의했다. 중용이란 자연을 관조하고, 인간의 몸에서 분비되는 체액의 역할을 올바르게 이해하고, 사회적 안정을 성찰할 때 비로소 도달할 수 있는 어떤 것으로서, 말하자면 직관적 균형이란 '목적 그 자체'였던 것이다. 왜냐하면 조화가 조화 그 자체를 위해, 다시 말해 조화의 아름다움과 그것이 선사하는 기쁨을 위해 추구되었기 때문이다.

그러나 오늘날에는 균형이 일종의 수단이 되어 버렸다.[29] 더 이상 균형은 개인적, 예술적, 철학적 욕망의 대상이 아니다. 어떤 외재적 규범에 도달하기 위한 과정일 뿐이다. 사실상 오늘날에는 어떤 행동의 목적이 시스템의 외부로부터 규정된다. 성과, 수익, 비용 절감 등의 명령에 의해 강제된다. 규범적 균형은 때로는 중용을 필요로 하지 않는다. 특히 그것이 기술적 제약으로 해석될 때 더

---

29 이런 변화의 기원을 1942년으로 추정해 볼 수 있다. 전쟁이 일어난 동안 막 태동한 사이버네틱스(인공두뇌학)는 새로운 균형 모델을 강제했다. 이 새로운 모델은 자연이 아닌 기계로부터 영감을 얻는 것이었다. 좀 더 정확히는 미국 정부가 노버트 위너Nobert Wiener에게 개발을 부탁한 미사일 발사대로부터 영감을 얻은 것이었다. 그는 미사일의 경우에는 균형이란 오로지 수단에 불과하다는 사실을 깨달았다. 목표는 오로지 표적을 맞추는 것뿐이다. 그리고 오로지 이 표적과 대비해서 좌우로 미사일의 균형을 조정하거나 경로를 수정해야 한다. 또 다른 고전적 예는 온도조절장치다. 이 경우에도 목적은 오로지 방 안의 온도를 19도로 유지하는 것으로, 이에 맞추어 보일러의 작동을 조절하는 것이다. 위너를 비롯한 사이버네틱스를 연구하는 학자들은 이런 지식을 바탕으로 인체를 해석했다. 가령 그들은 인체의 생화학적 균형 조정이 항상성을 위한 수단에 불과하다는 점을 입증하고자 했다. 이것은 고대 아리스토텔레스의 체액설이 폐기되는 결정적 계기가 됐다.

욱 그러하다. 이제 규범적 균형은 직관적 균형이 차지하던 권좌를 찬탈하고 말았다. 이내 양자 사이의 간극은 점점 더 벌어지고 있다. 새로운 규범이 끊임없이 강제되고, 심지어 그에 상응하는 대가마저 제대로 제공되지 않는 일이 허다하기 때문이다. 인간에게 무엇이 너무 많고 적은지를 알려 주던 나침반 역할을 하던 직관은 이제 시민권을 박탈당했다.

목적으로서의 균형이 수단으로서의 균형으로 이행해 가는 현상을 제대로 이해하고자 한다면, 두 가지 종류의 저울에 대해 깊이 성찰해 보는 것만큼 유익한 일도 없을 것이다. 이를테면 양쪽에 접시가 달린 구식 양팔저울과 현대식 전자체중계를 서로 비교해 보는 것이다. 먼저 아리스토텔레스식 균형에 부합하는 양팔저울은 우리에게 중용이 무엇인지를 알려 준다. 양팔저울을 이용하면 저울이 어디로 기우는지를 눈으로 확인할 수 있다. 따라서 무엇이 지나치고 무엇이 부족한지를 직관적으로 가늠할 수 있다. 그러나 오늘날 보편적 상징성을 띠는 이 기기는 전자식 체중계에게 왕좌를 빼앗겼다. 그렇다면 전자식 체중계가 우리에게 보여 주는 것은 무엇인가? 그것은 바로 숫자다. 이제는 균형을 말함에 있어 어떤 면에서는 매우 근본적인 의미를 지니는 모든 직관적 차원이 완전히 등한시되게 된 것이다.

우리는 직관적 차원을 되찾아야 한다. 개인적인 차원에서라면 결코 이루기 힘든 과제는 아니다. 자신의 직관에 다시금 재접속하고, 자신의 육신이 내는 목소리에 귀 기울이며, 숙면을 취하라. 그리고 무엇보다도 훨씬 더 대담하고 열정적인 새로운 종류의 불균형을 내면 깊이 추구하라. 어쩌면 그것이 변화를 향한 첫걸음일 수 있다. 사실 정신이란 것도 어찌 보면 모든 존재가 각자 스스로에게 부여하는 이런 본원적 성격의 불균형이 아니겠는가? 우리의 정신은 종종 깨어날 순간만을 애타게 기다리고 있다! 즉 각자가 자신만의 고유한 불균형이 되는 순간만을, 몸과 마음이 모든 극복과 초월을 가능케 해 주는, 다시 말해 더 상위의 새로운 목표를 실현할 수 있게 해 주는 어떤 상태에 이를 순간만을 열렬히 기다리고 있는 것이다. 그러면 어렵사리 정복한 새로운 균형이 비로소 중요한 의미를 지닐 수 있게 될 것이다. 사실 무용수가 하는 일도 그와 별반 다르지 않다. 무용수는 어느 순간 비로소 생동감 있게 움직이며, 일반적으로는 이루기 힘든 어떤 난해한 몸동작을 취하고, 중력을 벗어난 힘의 경지에 이른다. 그 순간 삶의 어려움은 불현듯 사라지고, 자유 그 자체에 해당하는 어떤 육신의 도취 상태에 의해 삶의 어려움이 사유로 변해 손과 팔과 얼굴을 타고 뻗어 나간다.

우리는 여기서 또 다시 불꽃과 조우한다. 그러나 이때의 불꽃은 번아웃과는 전혀 다른 종류의 불꽃이다. 폴 발레리가 《영혼과 춤》에서 말한, 극도로 순수한 삶의 진동을 상징하는 바로 그 의미의 불꽃인 것이다. 시인은 이 시에서 무용수를 불꽃 속의 불도마뱀

살라만더[30]에 비유하고 있다. "이 긴장의 우월함, 그리고 자신이 이룰 수 있는 최대한의 유연함 속에서 느끼는 이 황홀경. 그것은 불꽃의 미덕과 힘을 지니고 있다."[31] 돌연 모든 것의 의미가 새로워진다. 그토록 두려움을 자아내던 불꽃은 해방자가 된다. 변신한다. 그러나 그것은 어디까지나 작은 시작에 불과하다.

반면 집단적인 차원에서는 직관에 호소하는 것만으로는 부족하다. 물론 더 이상 고통을 감당하지 못하는 우리의 감각과 인식은 생산과 소비 논리의 변화를 요구한다. 그러나 과연 그 누가 그들의 요구가 관철될 것이라 장담할 수 있을까? 그것과는 전혀 다른 논리가 훨씬 더 우세하고 강력한 힘을 발휘하고 있는데. 그런 의미에서 이제는 새로운 종류의 '협약'을 체결할 때가 찾아온 것 같다. 18세기 정치 철학은 '협약'이라는 개념을 통해 만인 대 만인의 전쟁으로 여겨지는 어떤 광적인 자연 상태에 대응했다. 그것은 오늘날로 따지자면 일종의 탈규제라고 볼 수 있는 현상이었다. 그래서 당시 정치철학은 일종의 '자연 계약'을 제안했다. 개인의 과도한 힘을 박탈하는 내용의 계약을 맺어야 비로소 인류의 생존이 담보될 수 있다고 여겼던 것이다.

---

30 작은 도마뱀의 형태를 하고 있고 화산의 화구 안쪽 또는 용암 속이나 불타오르는 화염 속에 살고 있다. -역주

31 폴 발레리Paul Valéry, 《영혼과 춤*L'Ame et la Danse*》, 파리, 갈리마르, 1923년, 142쪽.

그로부터 3세기가 지난 지금도, 우리에게는 어쩌면 그와 같은 종류의 새로운 계약이 필요한 것이 아닐까? 이제는 '자연 계약'이 아니라 기술 계약을 맺어야 하는 것이 아닐까? 그러면 기술 계약이 불을 막아 주는 방화벽이 되어, 우리가 진정 보호해야 할 대상은 인간과 생태계임을 확인시켜 주지 않을까? 발전의 논리는 이제 그만 폭력성을 내려놓아야 한다고, 인간과 생태계를 위해 봉사해야 한다고 말해 주지 않을까? '협약'이라는 이 철학적 개념은 그저 단순한 개념의 차원에만 그치지 않는다. 근대에 이 개념은 상대적 평화를 안착시키기 위한 법으로 해석되었다. 덕분에 우리는 지금까지도 그러한 평화의 혜택을 누릴 수 있는 것이다. 반면 기술 계약이라는 이 포스트모던 시대의 개념은 앞으로 과도한 수단이 인간을 해하지 않게 방지하는 어떤 이상적인 규제책이 되어 줄 것이다. 그리하여 인간이 예술, 철학, 그리고 관조에 필요한 느긋함을 누릴 수 있도록 해 줄 것이다.

이런 조건이 마련될 때에만 비로소 번아웃은 변화의 장으로 자리할 수 있다. 변화야말로 이러한 시련을 겪는 사람들에게 일어날 수 있는 최고의 사건이다. 푹 쉬고 난 뒤에 비로소 인간은 스스로를 변화시키고, 또 주변의 세계까지도 변화시킬 수 있는 힘을 얻을 수 있다. 그러면 우리의 정신을 위협하는 이 포식자의 세계에서 벗어날 수 있을 것이다. 또한 새로운 내면의 풍경과 더욱 조화를 이루는 새로운 시대가 열릴 수 있을 것이다.

이 말은 곧 번아웃에 대한 성찰은 끝맺음할 수 없다는 뜻이기도 하다. 일단 시련에서 벗어난 뒤에는 수많은 가능성의 장이 열린다. 그 가능성의 장은 우리의 삶만큼이나 광대하다. 고대 연금술사들은 물질을 분해하는 연금술의 제1단계인 흑화 단계를 무시무시한 불의 시험으로 간주하였다. 그리고 그것에 부활의 의미를 부여하기 위해 매우 강렬한 표현을 사용하였다. 그것이 바로 '카우다 파보니스(cauda pavonis)'다. 우리말로는 '공작의 꼬리'를 의미하는데 바로 그 단계에서 공작 꼬리 같은 깊고 화려한 색상의 불꽃이 눈앞에 영롱하게 흔들리기 때문이다. 그것의 규칙적이고 복잡한 형태가 자연의 경이를 떠올리게 하는 탓이다. 활짝 편 공작 꼬리는 재의 검은 빛과는 완전한 대조를 이룬다. 말하자면 수많은 밤이 완전히 지나간 셈이다. 그러니 이제 협약을 체결하고, 새로운 균형을 이루어 낸다면, 다시금 잃어버렸던 화려한 빛깔이 되돌아올 것이다. 그토록 끔찍한 시련이 실은 더 나은 상태로 이행하기 위한 유익한 과정이었다고 회고할 수 있게 될 것이다.

카우다 파보니스. 현실의 완벽함에 대한 몽롱한 인식. 카우다 파보니스는 비로소 타인의 시선을 끌어당긴다. 그리고 특히 인간이 만들어 낸 세상이 한쪽으로 너무 편향되었다 싶을 때 우리 주변에는 무수한 세계가 존재한다는 사실을, 수많은 공작새들의 세계와 또 그런 공작새들을 바라보는 자들의 세계가 존재한다는 사실을 새롭게 일깨워 줄 것이다. 바로 거기에, 진정한 의미의 '오픈

스페이스'[32]가 존재한다. 그러한 열림ouvert/open 속에, 영혼과 세계의 열림 속에, 책을 덮는 순간 이어지는 열림 속에, 변화의 열림 속에.

32 open space: 개방형 사무 공간을 비꼬는 말이다. -역주

감사의 말

이 책은 특히 번아웃이라는 시련을 겪었던 이들과 나눈 무수한 대화들이 맺어 준 소중한 결실입니다. 이 자리를 빌려 그분들께 진심으로 감사드립니다. 또 사회커뮤니케이션고등연구원IHECS의 동료들께도 감사의 마음을 전합니다. 동료들 덕분에 편안한 환경에서 연구를 진행할 수 있었고, 몇 가지 주제에 대한 의문을 해결할 수 있었습니다. 어떤 질문들은 철학 모임인 '철학의 화요일Mardis de la Philosophie'에서 다뤄지기도 했습니다. 모두 아멜리 둘트르몽과 마르틴 르쟁 덕분입니다. 그 밖에도 프랑수아 라가르드, 롤랑 다카르, 프랑크 피에로봉, 에릭 드 벨프르와, 쥐디트 델빌, 발레리 베르톨로, 질리앙 르페브르, 조프루아 드 리뉴, 엘리자베스 레이즌스, 질 콜라르, 미셸 누아레, 카를로 샤펠, 아르노 드 바티스, 나의 형제 피에르 악셀과 부모님 등 가족 모두에게도 감사의 인사를 전합니다. 제 아이들도 제가 'Aut libri aut liberi(책이냐 자식이냐)'라는 오랜 격언을 반박할 수 있는 계기를 마련해 주었습니다. 제게 그것은 일종의 승리와도 같았습니다. 제 아내 뱅시도 수많은 질문을 해결하는 데 중요한 열쇠를 제공해 주었습니다. 편집자인 로랑 드 쉬테르도 언제나 제게 놀라운 통찰력을 빌려주었고, 클레르 라가르드의 귀중한 도움도 이 책을 쓰는 데 결정적인 도움이 되었습니다.

옮긴이 허보미

서울대학교 불문과 석사 과정을 수료하고, 한국외국어대학교 통번역대학원을 졸업했다. 현재 전문번역가로 활동 중이며, 번역한 책으로는 《행복에 관한 마술적 연구》, 《아인슈타인의 빛》, 《대안은 없다》, 《신의 생각》, 《여우와 아이》, 《돈이 머니? 화폐 이야기》, 《채소 동물원》, 《문화재지킴이 로즈 발랑》, 《로댕의 미술 수업》 등이 있다. 월간 〈르몽드 디플로마티크〉 한국판 번역에도 참여하고 있다.

너무 성실해서 아픈 당신을 위한 처방전
굿바이 번아웃

초판 1쇄 발행 2016년 4월 18일

지은이 파스칼 샤보
옮긴이 허보미
펴낸이 양소연

기획편집 함소연 **디자인** 하주연 이지선 **마케팅** 이광택
관리 유승호 김성은 **인터넷사업부** 백윤경 최지은

펴낸곳 함께읽는책 **등록번호** 제25100-2001-000043호 **등록일자** 2001년 11월 14일

주소 서울시 금천구 디지털로9길 68, 1104호(가산동, 대륭포스트타워 5차)
대표전화 1688-4604 **팩스** 02-2624-4240 **홈페이지** www.cobook.co.kr
ISBN 978-89-97680-19-1(03180)

이 도서의 국립중앙도서관 출판예정도서목록(CIP)은 서지정보유통지원시스템 홈페이지(http://seoji.nl.go.kr)와 국가자료공동목록시스템(http://www.nl.go.kr/kolisnet)에서 이용하실 수 있습니다. (CIP제어번호: CIP2016008202)

함께읽는책은 도서출판 나눔의집의 임프린트입니다.